AU BOUT DE L'IMPASSE, À GAUCHE

Sous la direction de

NORMAND BAILLARGEON
et
JEAN-MARC PIOTTE

AU BOUT DE L'IMPASSE, À GAUCHE

Récits de vie militante
et perspectives d'avenir

La collection « *Futur proche* » est dirigée par Gaétan Breton et Claude Rioux.

Dans la même collection :

– Gaétan Breton, *Faire payer les pauvres. Éléments pour une fiscalité progressiste*
– Gaétan Breton, *Tout doit disparaître. Partenariats public-privé et liquidation des services publics*
– Gaétan Breton, *La Dette : règlement de comptes*
– Jean Bricmont, *L'Impérialisme humanitaire. Droit humanitaire, droit d'ingérence, droit du plus fort ?*
– Andrea Langlois et Frédéric Dubois (dir.), *Médias autonomes. Nourrir la résistance et la dissidence*

Photo de la couverture : Bruno BARBEY
© Bruno Barbey / Magnum photos

© Lux Éditeur, 2007
www.luxediteur.com

Dépôt légal : 3ᵉ trimestre 2007
Bibliothèque nationale du Canada
Bibliothèque nationale du Québec
ISBN 978-2-89596-053-9

Ouvrage publié avec le concours du Conseil des arts du Canada, du programme de crédit d'impôts du gouvernement du Québec et de la SODEC. Nous reconnaissons l'aide financière du gouvernement du Canada par l'entremise du Programme d'aide au développement de l'industrie de l'édition (PADIÉ) pour nos activités d'édition.

Normand Baillargeon enseigne les fondements de l'éducation à l'Université du Québec à Montréal. Il a notamment publié *L'Ordre moins le pouvoir, Les Chiens ont soif, La Lueur d'une bougie, Trames, Éducation et liberté, Petit cours d'autodéfense intellectuelle* et *Écrits dans la marge*. Depuis plusieurs années, il collabore régulièrement à la presse alternative québécoise, dans laquelle il a fait paraître plusieurs centaines d'articles.

Jean-Marc Piotte est professeur émérite de l'Université du Québec à Montréal. Membre-fondateur de la revue *Parti pris*, il a publié une quinzaine d'ouvrages, dont *La Pensée politique de Gramsci, Du Combat au partenariat (Interventions critiques sur le syndicalisme québécois), Les Grands penseurs du monde occidental (Éthique et politique de Platon à nos jours)* et *Les Neuf clés de la modernité*.

Tous deux expriment leur plus vive reconnaissance à Guillaume Beaulac – étudiant en philosophie, militant anarchiste et collaborateur au journal *Le Couac* – pour son inestimable soutien tout au long de la réalisation de cet ouvrage.

Normand Baillargeon et Jean-Marc Piotte

Introduction

T ROIS CONVICTIONS SONT à l'origine de ce livre et nous pensons qu'elles seront toutes trois assez largement partagées par nos lecteurs.

La première est que l'expression « la gauche », si elle est bien entendu polémique en ce sens qu'elle recouvre des valeurs et des pratiques que certains récusent avec autant de force que d'autres y adhèrent, est encore polysémique, puisque diverses personnes et divers courants de pensée se réclamant de la gauche mettront l'accent sur certains combats, certains engagements et certaines valeurs plutôt que sur d'autres – les unes étant au demeurant plus ou moins compatibles selon le cas avec les autres. Ce caractère est sans doute plus vrai et plus présent aujourd'hui et donne à penser que le concept de « gauche » est *essentiellement contesté*. Quoi qu'il en soit, nous avouerons ici une certaine sympathie, limitée mais sincère, pour ceux et celles qui soulignent à quel point le concept de gauche, comme beaucoup de concepts politiques, reste instable, difficilement assignable et confus.

Notre deuxième conviction est que nonobstant ou en raison même de ce qui précède, la gauche (ou devrait-on plutôt dire : « les gauches » ?) a récemment exercé, sur l'horizon relativement bref d'une vie humaine – disons sommairement : au cours des quatre ou cinq dernières décennies – une influence considérable.

Nous serions tentés de dire que cette influence s'est fait ressentir tout aussi bien sur le projet de transformation du monde dont parlait Karl Marx, que sur celui de changer la vie qu'Arthur Rimbaud appelait de ses vœux. Elle a donc touché l'économie et le politique, certes, mais aussi la culture, la question des genres et celle des races, l'écologie et plus largement notre rapport à la nature et aux animaux – et bien d'autres sujets encore. Bref, ces gauches, multiples, plurielles, ont de manière non négligeable contribué à redessiner notre rapport au monde et ont façonné la sensibilité qui caractérise notre moment historique.

Notre troisième conviction est que cette vaste et influente mouvance se cherche aujourd'hui, qu'elle se cherche comme elle ne l'a encore que rarement fait jusqu'ici. Sous l'impact des nombreux et profonds changements survenus ces dernières décennies, de ces changements qu'elle a ou bien contribué à faire advenir ou subis, la gauche est donc appelée à repenser ses valeurs et ses aspirations ainsi que le sens et l'orientation de son action. Nous voici, en somme, à ce crépuscule où la chouette prend son envol et qui sonne l'heure des bilans. Nous voulons apporter une modeste contribution à cette vaste et indispensable réflexion.

Pour ce faire, et en raison de sa grande valeur heuristique, nous avons adopté une méthode librement inspirée de celle des histoires (ou récits) de vie, cette approche biographique qui a été popularisée par les anthropologues et les sociologues [1]. Plus précisément, nous avons fait le pari qu'en donnant la parole à des gens dont le parcours, au sein de l'une ou l'autre des mouvances de la gauche, a traversé l'horizon temporel qui nous intéresse, nous pouvions espérer comprendre, dans leur globalité, des situations complexes décrites par les narrateurs du point de vue de la signification qu'ils et elles leur ont conférée.

Les questions qui nous intéressent sont aussi simples qu'importantes. Nous voulions notamment savoir comment et pourquoi une personne en vient à adhérer à cet ensemble de valeurs perçues par elle comme étant celles de la gauche et qui lui seront à ce point chères qu'elles joueront un rôle majeur, voire déterminant, dans le déroulement de son existence. Quelles sont exactement ces valeurs ? Comment se sont-elles d'abord incarnées ? Comment, par quoi et en quel sens ont-elles – éventuellement – été remodelées au cours des quatre ou cinq dernières

---

1. L'exemple le plus connu d'application de cette méthode est probablement *Les enfants de Sanchez* de l'anthropologue Oscar Lewis (1961).

décennies ? Comment, par ailleurs, cette personne se situe-t-elle, aujourd'hui, devant ces valeurs et ses engagements ? Plus largement, enfin, quel est l'état actuel de sa réflexion sur l'avenir qui s'ouvre aux perspectives et aux convictions qui sont désormais les siennes ?

Nous avons donc préparé un questionnaire et l'avons d'abord soumis à diverses personnes qui nous ont suggéré de précieuses modifications à y apporter. Retravaillé en tenant compte de ces suggestions, ce questionnaire, qu'on trouvera en annexe, a ensuite été envoyé aux neuf personnes qui, parmi celles qui avaient été pressenties pour contribuer à notre projet, ont accepté de le faire [1]. Deux précisions s'imposent.

La première est que notre échantillon, sciemment, ne comprend que des personnes d'Amérique du Nord : nous estimons en effet qu'États-uniens, Canadiens et Québécois, malgré leurs différences et diversités, notamment ethniques et culturelles, font néanmoins face, en raison de leur localisation dans la « banlieue privilégiée de l'empire états-unien », à des problèmes fondamentalement semblables.

La deuxième est que, si nous avons bien visé à donner ici la parole à des tendances diverses des multiples gauches, nous n'avons jamais entretenu l'ambition, impossible au demeurant à satisfaire en vertu de notre méthodologie même, de réunir un échantillon représentatif de toutes ces tendances.

Place à ces textes, donc. Dans la postface qui leur fait suite, nous suggérerons quelques enseignements et pistes de réflexion qui peuvent, à notre sens, en être dégagés.

---

1. Certaines de ces contributions, comme on le verra, ont pris la forme d'un entretien.

Pierre Beaudet

Un parcours privilégié

Pierre Beaudet a étudié au collège Jean-de-Brébeuf, au cégep Ahuntsic et à l'UQAM, et a été militant étudiant et politique dans les années 1960-1970. Dans les années 1980, il a milité dans les organisations de solidarité internationale et vécu en Afrique du Sud comme chercheur-animateur syndical. Dans les années 1990, il a créé le réseau Alternatives et a participé à la mise en place du Forum social mondial. Il est présentement enseignant et chercheur à l'Université d'Ottawa. ∎

CE TÉMOIGNAGE N'EST NI UN ESSAI biographique ni une histoire partielle des mouvements radicaux du Québec. Mais en même temps, c'est un peu des deux. Avec en plus des voies parallèles. Pourquoi je l'ai fait ? Par amitié pour Jean-Marc Piotte qui m'a enseigné Gramsci quand il avait 30 ans et que j'en avais 20. Peut-être aussi pour faire quelques clins d'œil. Pour m'inciter à finir un interminable projet d'écriture d'une histoire que j'ai connue, de l'intérieur en tout cas. Peut-être pour intéresser d'autres plus jeunes conscients qu'il faut tout réinventer même si la trame du réel n'est jamais une page blanche.

Archéologie

Au tournant des années 1960, dans l'atmosphère survoltée d'une révolution-pas-si-tranquille, ça bougeait et ça ne bougeait pas. On écoutait les *Plouffe*, on sortait de la misère, on avait l'intuition que quelque chose était dans l'air. Les jésuites, qui aimaient nous humilier avec leur vision de maîtres d'esclaves, étaient assez intelligents pour sentir que les plaques tectoniques étaient en train de bouger. Ils nous enseignaient la *géographie de la faim* du grand sociologue brésilien Josué de Castro, une fresque magnifique sur la misère atroce et programmée des crève-faim du Nordeste. Ils nous ouvraient les pages de Marx avec les travaux de Jean-Yves Calvès. Chaque semaine, notre imaginaire s'enflammait, et pas seulement par ce qui se passait à l'autre bout du monde. Un compagnon de classe, Jean Corbo – si sérieux et sombre –, allait mourir avec une bombe dans les mains dans une usine en grève. On allait au cinéma Verdi boulevard Saint-Laurent discuter une somptueuse fresque de la révolution algérienne, *La bataille d'Alger*, jusqu'à tard dans la nuit.

Du passé faisons table rase ?

En 1966, on sentait le réveil des volcans. Le peuple vietnamien faisait basculer les puissants et éclater le rêve soviétique de la « coexistence pacifique ». Partout, une génération en colère était en train de prendre position. Les plus vieux d'entre nous – ils avaient 25 ans ! – piochaient dans la revue *Parti pris*. On était certain, avec l'impétuosité de la jeunesse, que « le monde possède le rêve d'une chose dont il ne possède que la conscience pour le posséder réellement » (*Lettre de Marx à Ruge*, 1843). En 1968, tout basculait : mai français, automne « chaud » italien, *cordobazo* [1] argentin, assauts ouvriers et étudiants contre les mandarins en Chine et les staliniens en Tchécoslovaquie. Et puis à l'automne 1968, nous prenions la rue d'assaut. Action directe, autogestion, autoformation, auto-organisation, on apprenait sur le tas une nouvelle grammaire politique. On était insolent. On n'avait peur de rien. On occupait nos institutions et les lieux publics. On pulvérisait les organisations existantes pour inventer de nouvelles formes d'expression plus radicales et spontanées. Les nerfs à vif, on écoutait Paris, Prague, Watts. On vivait au rythme de la Tricontinentale, on discutait l'appel du Che, « créer deux ou trois Vietnam ». On « lisait » *Lire le Capital* d'Althusser. On dépoussiérait des dissidents avant la lettre comme Victor Serge,

---

1. Occupation de l'université de Córdoba par les étudiants en 1969.

Boris Souvarine, José Carlos Mariátegui. On apprenait le marxisme critique, rebelle. On apprenait en même temps la sexualité et le féminisme. On apprenait à débattre. Comme cet interminable débat sur l'insurrection qui nous titillait. Parce qu'on était jeunes, d'une part. Parce que nous avions des fragments d'histoire de Pétrograd et de Yenan dans la tête. On admirait le MIR chilien, les Tupamaros d'Uruguay et bien sûr les insurgés vietnamiens. On se méfiait des Black Panthers et de leur délire. On jouait avec le feu, on ne le savait pas. Dans des assemblées enflammées, on apprenait l'impératif de « demander l'impossible ». Avec le Comité ouvrier de Saint-Henri, on se voyait en train d'échafauder une « zone libérée » dans le sud-ouest de Montréal! Puis un autre événement est survenu en octobre 1970, qui a tout bouleversé.

À l'assaut du ciel

En cette année charnière, on a pu faire – enfin! – le deuil du guérillérisme. La répression d'Octobre fut dans un sens une salutaire douche froide pour ceux qui avaient encore des illusions. Ce n'est pas tellement qu'on était devenu des gandhiens et des apôtres de la non-violence. Tout simplement, le « robin-des-bois-isme » du FLQ s'était révélé ce qu'il était : naïf, contre-productif, voire dangereux. En deuxième lieu et en lien avec le premier facteur, on a compris, « senti » plutôt, qu'un mouvement de masse commençait à prendre forme, notamment grâce à l'expérience du FRAP et surtout de la prolifération de « comités d'action politique » dans les quartiers, les lieux de travail, les écoles. Encore pleins d'arrogance, on a pris la peine de rencontrer les gens. Des énergies, des colères, des stratégies, on en a trouvées des tas. On a un peu (pas complètement) rangé nos livres. On est sortis de l'université et on s'est mis à organiser puis encore à organiser. On se sentait utiles, on nous demandait de faciliter ce qui se faisait déjà, d'en révéler le sens. On faisait de la recherche-action, on animait, on publiait, on diffusait, on parlait aux Italiens de Lotta Continua. On a mis en place des syndicats, on en a dépoussiérés encore plus. On a inventé – avant le mot – les CPE. On a créé des espaces de discussion et d'action dans l'éducation, la santé, le travail social. Les Québécoises Deboutte ont secoué le patriarcat. Quelque part sur la rue Amherst, en bas de la côte, on était comme des abeilles bourdonnantes autour de la revue *Mobilisation*. Des micro-groupes se sont mis en place, et pas juste à Montréal. Au début, on se comptait par dizaines, puis par centaines et enfin par milliers. Au printemps 1972, c'était l'irruption des masses. Un peu partie de nulle part, une grève générale mettait des masses en mouvement par l'action directe et la fronde. Ceux qui avaient le coup d'œil savaient qu'un grand mouvement populaire était en train de se construire dont nous étions, volontairement ou pas, les « petites mains agiles ».

La fuite en avant

On argumentait, on se chicanait, on cherchait. On s'emparait de la parole, on secouait (sans les transformer) les appareils. On regardait devant nous, très peu derrière. D'autant plus que la rupture entre notre génération et celle nous ayant précédé était à peu près totale. On connaissait quelques pépés et mémés communistes, on les prenait en affection, mais comme on pensait tout savoir, on ne les écoutait pas beaucoup. Dans des réunions enfumées tard dans la nuit, on débattait. On pensait, ça y est, « la crise avec un grand C » s'en vient rapidement : « serons-nous prêts ? » On retournait dans l'histoire en trouvant ce qu'on voulait bien trouver. On apprenait peu à peu à douter, y compris de nous-mêmes. Puis petit à petit, surtout à partir de 1975, des fissures sont apparues. Le grand mouvement populaire se cherchait des débouchés politiques et ce n'était pas la « révolution ». On a aussi senti ce tournant obscur, mais sans l'accepter vraiment. Les plus impatients parmi nous – il y en avait beaucoup ! – se laissaient tenter par le substitutisme. « Si la révolution ne vient pas toute seule, donnons-lui le coup de pouce. » « Si les masses ne bougent pas, il faut les diriger. » On cherchait de vagues excuses dans des lectures superficielles du fameux « Que faire » de Lénine, mais dans le fond, la réalité faisait trop mal à contempler. Et ainsi, après toute une période où nous avions réussi à éliminer le robin-des-bois-isme, plusieurs de nos camarades ont glissé vers une autre fuite en avant. Appelons cela, pour simplifier énormément, le « vrai-parti-révolutionnaire-isme ». Au problème politique (absence d'une vision stratégique) se substituait une « technique », une vision organisationnelle, disciplinée, dure, sectaire. Ceux y croyant étaient certes sincères et voyaient dans la magie de l'organisation un débouché « normal » à l'accumulation des luttes de la période antérieure. Mais plusieurs d'entre nous n'étaient pas convaincus. Après tout, entre 1917 et nous, il y avait un océan de temporalité et de culture. Mais aussi et plus encore, une lecture approfondie de cette histoire épique des révolutions européennes du XXe siècle nous montrait que nos ancêtres avaient échoué. Et que des critiques prémonitoires de Gramsci et bien d'autres permettaient, jusqu'à un certain point, de mieux lire le temps présent que les procès-verbaux des congrès de la troisième Internationale. Revenus dans le temps présent, on était également interpellés par la fracassante défaite de la gauche chilienne. Trop ou pas assez, l'ébauche du pouvoir populaire avait échoué non seulement devant le mur de la répression, mais aussi devant ses contradictions et ses incohérences internes. Pendant quelques années, en faisant un peu le dos rond devant l'affaissement du mouvement de masse, on a réfléchi à tout cela. Et bien que l'élan de 1968 devenait graduellement un souvenir, on était encore en train de voir la suite.

Un petit moment d'hésitation

En 1976, le Parti québécois était élu. Nous étions contents, nous étions tristes. Certains d'entre nous pensaient sincèrement que René Lévesque allait briser l'impasse, entamer le changement. Mais pour la plupart, nous étions méfiants. D'autant plus que nous étions confus. À la limite, tout le monde était plus ou moins indépendantiste. Mais nous avions rêvé de déplacer le champ politique du national vers le social. On était admiratifs devant le projet péquiste et son air de réinventer la révolution tranquille, mais en même temps, on sentait bien les limites d'un projet qui somme toute ressemblait à bien d'autres où les élites nationalistes se faisaient les dents contre les rébellions populaires, en Algérie par exemple. Cette histoire de faire l'indépendance tout en préservant l'essentiel du *statu quo* ne sentait pas bon, n'avait pas de sens bien qu'on restait admiratifs devant des réformes importantes mises de l'avant par les social-démocrates du PQ, pour le temps (court) pendant lequel ils eurent de l'influence. En même temps, la révolution paysanne en Asie, qui avait été notre phare, s'effilochait dans de sordides règlements de comptes entre les nationalismes vietnamien, cambodgien et chinois. De missions en missions et de rapports d'enquête en rapports d'enquête, on a compris qu'on avait été instrumentalisés par de lointaines luttes de pouvoirs. Instrumentalisés volontairement dans beaucoup de cas, puisque cela faisait notre affaire de croire aux contes de fées. En fin de compte, on a fini par comprendre qu'on n'était pas parvenus à prendre place dans le « temps politique » réel, immédiat. À force de regarder loin devant, on avait échappé, illusoirement, au terre à terre, au quotidien. Nos camarades féministes nous ont aidés à nous réveiller. Elles ont commencé par durement secouer les petits caporalismes de « gauche » qui reproduisaient le patriarcat au sein d'organisations se disant « révolutionnaires ». Ce faisant, elles ont balayé une grande partie des illusions de l'avant-gardisme tout en secouant les certitudes du dogmatisme. D'ailleurs, quelques temps plus tard, plusieurs micro-partis révolutionnaires s'évanouissaient en fumée, libérant l'atmosphère.

Vieillis mais pas encore assis

Au tournant des années 1980, on s'interrogeait. Des certitudes étaient fissurées. Il restait aussi des amertumes, des conflits mal digérés, des mini-drames de vie. La défaite prévue et prévisible du référendum de 1980 amorçait la recomposition à droite du mouvement nationaliste à travers des déchirements internes ainsi qu'entre celui-ci et les organisations sociales. Entre le « beau risque » de s'intégrer dans le Canada conservateur et la volonté de se reconvertir dans le libre-échangisme, le PQ perdait son âme. On était déconcertés. Mais on a été privilégiés de vivre les tempêtes des années 1970. On avait encore des réserves d'imagination, d'intelligence, d'énergie. On avait « vieilli » (on avait 30 ans !), on était plus efficaces, plus organisés, plus modestes. Entre-temps, le mur de Berlin était pris d'assaut par les masses lassées des États socialistes « réellement existants ». Comme on avait toujours détesté ces anti-symboles, on était contents. On descendait dans la rue pour Solidarsnoc. On admirait la guérilla érythréenne dans un coin lointain de l'Afrique, entre autres parce qu'elle affrontait l'impérialisme soviétique, à nos yeux aussi coupable que l'impérialisme états-unien.

Intifada

On militait un peu partout. On tentait de maintenir des réseaux communautaires, syndicaux, féministes. Les postmarxistes, les chrétiens de gauche, les féministes échafaudaient de nouvelles propositions politiques. Comment garder la flamme ? Comment remettre de l'avant un projet radical, tout en évitant les excès de la période antérieure ? Le Mouvement socialiste, le Regroupement pour le socialisme, le mensuel *Presse Libre* étaient parmi les lieux où cette pensée radicale « postpost » s'élaborait, en phase avec des lieux insérés dans le mouvement syndical, le Conseil central de Montréal de la CSN, par exemple. De l'autre côté, la vieille taupe continuait de creuser. Des insurrections de masse mettaient de gigantesques grains de sable dans l'engrenage, au Salvador, en Afrique du Sud et en Palestine, tout en bousculant les clichés bien ancrés d'une « nouvelle-ancienne » gauche. Les Palestiniens, depuis longtemps dans notre imaginaire, nous ont particulièrement surpris. En 1987, ils ont mis leurs kalachnikovs dans le grenier et, pour un temps, ils sont devenus redoutablement efficaces. Une « révolte des pierres » semblait réussir à combiner une insurrection anticoloniale avec un mouvement rebelle remettant en question le leadership pourri imposé autour de Yasser Arafat. Ils ont mis de l'avant des sans-voix, des jeunes, des réfugiés, des femmes, dans une sorte de gigantesque revanche des exclus. De tout cela, un nouveau mot est entré dans notre vocabulaire : intifada.

La fin de l'histoire ?

Entre-temps, l'implosion de l'URSS créait l'espace pour l'essor du turbo-capitalisme. Vulgaire, agressif, violent, s'exprimant sous la forme d'une remilitarisation exacerbée. Et aussi sous la forme d'un discours fermé, « la fin de l'histoire », le triomphe définitif du capitalisme. Avec des moyens redoutables, ce discours s'est infiltré au sein de notre mouvement par des blessures entrouvertes. La peur de l'ostracisme, de retomber dans le sectarisme, l'excès, était devenue dans plusieurs mouvements une obsession, pour ne pas dire une pathologie. On voyait des militants pourtant intelligents intérioriser le déficit zéro (lire les compressions dans les dépenses sociales), la « concertation » avec les puissants, accepter le nationalisme sirupeux et autoritaire d'un Lucien Bouchard. Plusieurs appels étaient lancés : « Soyez réalistes » ; « Il n'y a pas d'"après-capitalisme", du moins dans un horizon imaginable » ; « Trouvez le moyen de vous accommoder en vous repliant sur le communautaire ou le social. » On n'était pas très convaincus, mais on n'avait pas beaucoup d'arguments. On se sentait encore englués du dogmatisme d'antan. Au tournant des années 1990, on a donc eu un nouveau choc. On était rendus des « jeunes-presque-vieux » (40 ans !). Après la première guerre du Golfe, on a commencé à avoir peur, à voir le monstre de plus près. L'impérialisme avec un grand I était de retour, sans adversaire en apparence. On s'est remis au boulot, intellectuellement parlant. Pour tenter de comprendre ce capitalisme sans foi ni loi et l'impact d'une nouvelle géopolitique mondiale gérée par l'unique hyperpuissance. Avec des travaux brillants (ceux d'Alain Lipietz et de Robert Brenner, notamment), on s'est un peu débarrassés de cette constante fascination de la crise « totale » pour analyser les transformations à long terme, la reconversion du capitalisme vers le néolibéralisme, entre autres. On voyait bien, à travers d'immenses mouvements de masse au Brésil, en Corée du Sud et ailleurs, que quelque chose d'autre se tramait. À Johannesburg, dans les faubourgs ouvriers semi-urbanisés et en état de semi-guerre civile permanente, se tramait une autre fin de l'histoire. Pas celle des dominants.

Le droit de rêver

En 1994, les États-Unis, avec la complicité de leurs larbins canadiens et mexicains, imposaient l'Accord de libre-échange nord-américain (ALÉNA), premier grand laboratoire de la nouvelle architecture néolibérale mondiale. On chialait contre cela, mais on était assez isolés. On se faisait traiter de nostalgiques et d'anti-états-uniens « primitifs ». Puis le monde a encore basculé. Du fond du Chiapas surgissait un autre cri. Ambigu mais rafraîchissant. Décapant, rompant avec l'insurrectionisme, l'avant-gardisme et le je-sais-tout-isme du passé. Avec un nouvel acteur social sur le devant de la scène, autochtone, paysan. Habilement théâtralisée par les zapatistes, cette révolte a été un immense révélateur, notamment de l'escroquerie qui se réalisait sous le néolibéralisme, mais aussi du dépassement des forces de changement traditionnelles. Peu après et grâce entre autres à la prolifération des nouveaux outils de communication sociale, le serpent interminable des mobilisations faisait ressortir des masses inédites, jeunes, dans les rues de Seattle, Gotenberg, Gênes, Johannesburg. Un mouvement bigarré, multicolore, sans bannière claire, plutôt « anti », jeune mais aussi bien appuyé par les vieux. Un gigantesque *non* au néolibéralisme, à la dérive autoritaire.

« On peut tout prévoir sauf l'avenir [1] »

Après l'échec du second référendum et la tentative bouchardesque de discipliner le mouvement social, la colère, la frustration, le désarroi régnaient un peu partout. On était encore loin du Chiapas mais, rapidement, la sève de la vie est arrivée chez nous. Comme souvent, elle est venue par les femmes et la formidable marche contre la pauvreté organisée par la Fédération des femmes du Québec. Celle-ci s'est transformée en réquisitoire contre le néolibéralisme et l'arrogance des puissants, y compris celle du PQ. Puis, par un beau printemps sec et froid, en 2001,

---

1. Groucho Marx.

on a été encore surpris. Au début, ce « Sommet des peuples » était bien programmé, notamment par les centrales syndicales, comme un rituel encadré. Revendications, assemblées, cortèges minutés, rencontres avec les ministres, on était respectables, on était réalistes. Et puis, sans qu'on s'en aperçoive, cela a glissé. Sans préavis. On s'est retrouvés des milliers, on a brisé (symboliquement) des barricades. On a surtout brisé des illusions, la mentalité ni-ni, la domination des discours creux pour tout dire sauf qu'il faut changer. On a changé le ton, on a changé les repères. On s'est changés nous-mêmes.

Babel

Aujourd'hui, nous voici encore sûrs de notre force, avec une touche critique de plus. Nous sommes maintenant des millions. Le nationalisme de gauche, la social-démocratie, sans compter le communisme stalinoïde, sont morts ou en déclin. N'osons pas dire « crise terminale », car l'histoire a parfois de drôles de retournements. Chose certaine, ces vieux projets sont encore dans l'air, mais plus comme porteurs de la transformation. En face cependant, une masse en apparence incohérente, échevelée, babélienne. Un mouvement de mouvements. Un réseau de réseaux, qui ne cesse de se transformer. D'envahir des espaces, de disparaître, de réapparaître. De faire dérailler les puissants en les poussant hors de l'espace politique. D'amener au premier plan les sans-voix, les invisibles, les innommables. Dalits indiens, autochtones boliviens, « indigènes de la république » dans toutes les banlieues du monde, et qui drainent derrière eux, parfois avec réticence, parfois avec enthousiasme, les « mouvements sociaux ». De tout cela, surgit un chemin composé de millions de voies : le Forum social mondial, espace contesté, espace festif, espace structurant, qui facilite l'expression de formes organisationnelles sans cesse mobiles, changeantes, fluctuantes, locales et internationales, « glocales », qui marginalisent les médiateurs professionnels, les *go-between* obligés, les *gate-keepers* imposés. D'où viennent les idées justes ? Criblées par la lutte des masses, sans cesse reformulées, vivantes, dérangeantes. Pour le moment, ça se passe beaucoup en Amérique latine, la zone des tempêtes en quelque sorte.

De nouveaux outils politiques, créés au tournant des années 1990, ont au moins ouvert l'espace en tentant de dépasser l'éternel dilemme « réforme-révolution » et aussi de remettre en question la subalternité des organisations populaires. Le travail est en cours, avec des avancées et des reculs.

L'ours blessé

Devant cette ascendance, il y a un mur. Les dominants ont peur. Ils le disent par leurs porte-voix « lulucides » et autres experts patentés : « les gens se révoltent trop ». Ils ne restent pas passifs. Ils se réorganisent. Ils rêvent de nous criminaliser et de nous militariser. Ils prennent d'assaut l'espace public. Ils font la chasse aux dissidents en commençant par les plus faibles, réfugiés, immigrants, jeunes de la rue. Au pire, ça donne l'« arc des crises », un ensemble de régions s'étendant de Jakarta à Casablanca en passant par Kaboul et Jérusalem. Là-bas, incapables de contenir la révolte, les dominants ont ouvert le cycle terrible de « la guerre sans fin ». « Guerre de civilisation », « menace terroriste », « tout-sécuritaire » et *tutti quanti*. Des intellectuels consentants remettent cela, remplacent les communistes-le-couteau-entre-les-dents par l'islamiste-terroriste. L'empire agit comme un ours blessé, le dos au mur, encore plus dangereux et encore plus violent. Que pouvons-nous faire ? C'est dangereux, ça fait mal. Ça nourrit l'imaginaire du désespoir, capté par des forces rétrogrades qui combattent l'empire sur son propre terrain, d'une façon imbécile. Un « contre-pouvoir » politico-religieux tout aussi autoritaire et antipopulaire. À Beyrouth, à Gaza, à Bagdad, dans les décombres des bombardements américano-israéliens, des millions d'humains sont prêts à sacrifier leur vie invivable pour sortir de l'enfer et arriver plus vite au paradis.

Les temporalités

Qu'est-ce qu'on fait ? On met des grains de sable dans l'engrenage. On réplique, on se réorganise, on ouvre de nouveaux fronts. On produit une « sociologie des émergences » (Boaventura

Santos), on ne cesse de libérer de nouvelles identités rebelles, créatives, plurielles. On construit de nouveaux espaces, on sort des sentiers battus. On démocratise la démocratie. On ne veut plus reproduire les illusions de la représentation, même en nous-mêmes. On dépouille le vieil arbre de Noël du capitalisme réellement existant de sa croissance autant ridicule que destructrice. On change la donne, on devient écolo, ingénieur, hydrologue, jardinier. On sème sur nos toits verts et dans nos jardins communautaires de nouvelles valeurs. On récolte non seulement des carottes biologiques, mais des énergies pour continuer à enrayer la machine. On fonctionne sur toutes les temporalités en même temps. Celle de l'immédiat. Dans l'impératif de battre l'empire et ses sbires néoconservateurs. On se met ensemble, on se coalise, on surmonte nos vieilles chicanes et on gagne des élections, surtout en Amérique du Sud. Ou au moins, on réussit à apparaître comme le début d'une solution de rechange, comme dans plusieurs pays européens et, qui sait, peut-être ici aussi avec l'initiative de Québec solidaire. On est loin du pouvoir, très loin même. Mais on sort de l'ombre, on apprend à administrer des fragments de société, à relancer des luttes.

Mais surtout, on continue de s'investir dans l'autre temps, le temps long. Dans la transformation (et non la captation) du pouvoir. Comme Gramsci l'avait dit, on construit des tranchées, c'est un travail long, pénible, méticuleux, peu spectaculaire. Mais comme Gramsci l'avait moins dit, on ne fait pas que miner la forteresse de l'adversaire : on en construit une autre. On ne veut plus de « leur forteresse », avec ses donjons, ses murs bétonnés, ses passages secrets. On veut une autre architecture. Comment ? On ne sait pas encore. On s'entête. On reste confiants dans le travail de fourmi. On comprend – on l'avait compris avant, mais pas assez – que le pouvoir n'est pas un objet « à capter », un lieu « à envahir ». On comprend qu'il est inutile de chercher un nouveau « sujet historique », aussi futile qu'introuvable dans une révolte sans cesse changeante. On sait qu'il n'y a pas de démiurge de l'histoire. Ni de plan préétabli. Qu'est-ce qu'il y a, alors ? Des *piqueteros* argentins qui prennent leurs usines, des sans-terre brésiliens qui inventent des coopératives, des masses urbaines de Mumbai qui s'auto-émancipent. Et plus près encore, chez nous, des étudiants et des étudiantes qui sabotent la marchandisation de l'éducation. C'est un éternel recommencement. Mais en même temps, c'est terminé. On a fini de courir après le projet-miracle, le parti-miracle, l'État-miracle. On encercle le politique par le social, on l'imbibe de nos révoltes et de nos rêves. Modestie, patience, courage, astuce, générosité. Comme le dit mon cher Victor. Une petite fraction de seconde d'humanité. ·

Michael Albert

Pour une société participaliste

Michael Albert, auteur et conférencier, est un militant états-unien bien connu. En plus d'être l'éditeur de l'imposant site Internet ZNet, il est coéditeur et cofondateur du mensuel bien connu Z Magazine. Il a également cofondé la maison d'édition South End Press. Michael Albert a publié de très nombreux livres et articles. Deux de ceux-ci ont été traduits en français : Après le capitalisme (Agone, 2003) et L'Élan du changement (Écosociété, 2004). Avec Robin Hahnel, il a conçu et développé un modèle économique appelé Participatory Economics ou Économie participaliste. Ses mémoires paraîtront cette année sous le tire Remembering Tomorrow. Les propos de Michael Albert ont été recueillis et traduits par Normand Baillargeon. ∎

J'AI ÉTÉ POLITISÉ RAPIDEMENT, au milieu des années 1960, mais cette politisation, au début du moins, était plutôt superficielle. Je pense sincèrement que ce qui m'a d'abord entraîné vers la gauche politique a été la musique du début des années 1960, celle de Bob Dylan tout particulièrement. Je m'en suis imprégné à partir de la fin du secondaire et elle constituait alors ma seule réflexion sociale : sur le plan académique, j'étais en effet exclusivement porté vers les sciences et les mathématiques.

Ma radicalisation politique a également été causée, en partie, par ce que j'apprenais du mouvement pour les droits civils qui naissait à cette même époque, lequel a, sans l'ombre d'un doute, contribué à forger mes allégeances. Cela dit, qui sait véritablement ce qu'il en est sur de tels sujets ? Il se peut que l'événement crucial ait été d'entendre parler de Cuba ; ou peut-être encore une discussion ou un débat survenu quand j'étais encore plus jeune.

Quoi qu'il en soit, une part importante de ma politisation a en outre tenu aux nouvelles qui provenaient du Vietnam. Ces nouvelles suscitaient en moi à la fois de l'horreur devant l'immoralité de cette guerre et un désir, qui ira croissant, de « faire quelque chose ». Sans la guerre du Vietnam, je ne peux savoir avec certitude ce qui serait arrivé, mais il est très probable que je serais devenu un physicien ayant des préoccupations sociales.

Une autre part de mon éveil politique – et je soupçonne que cela a joué un grand rôle dans la trajectoire précise que devait ensuite prendre ma vie – se situe sur un plan plus personnel et concerne mes propres expériences de vie. Parmi elles, je noterais en particulier mon arrivée au Massachusetts Institute of Technology (MIT), diverses expériences vécues dans la fraternité à laquelle j'appartenais, puis, plus tard, à l'extérieur du campus. Quoi d'autre m'a conduit à adhérer aux positions politiques auxquelles je devais aboutir ? Je pense qu'un autre facteur a été ma rencontre et mes relations avec Noam Chomsky, au MIT. Chomsky n'a depuis ce temps cessé d'avoir sur moi une grande influence. De même, la lecture de plusieurs anarchistes, mais particulièrement de Kropotkine et de Bakounine, m'a influencé. Finalement, ont également joué un rôle mes expériences au sein du mouvement étudiant dans le groupe Rosa Luxembourg du MIT, ainsi que dans le mouvement d'opposition à la guerre dans la région de Boston – et dans une certaine mesure, à l'échelle nationale.

Tout cela reste bien entendu très schématique et je m'en rends d'autant compte que, tout récemment, j'ai dû fouiller dans mon passé pour rédiger une autobiographie : celle-ci contient, on le devine, beaucoup plus d'éléments sur cette époque [1].

Une expérience qui a eu pour moi une très grande importance a été ma participation à une assemblée politique de protestation contre la guerre. Cette assemblée s'est tenue au centre-ville de Boston, dans une église. C'était durant ma seconde année d'université et nous y étions allés à quatre. Nous nous sommes retrouvés assis sur un balcon surplombant l'église d'Arlington Street. Des orateurs décrivaient le rôle des États-Unis dans le bombardement du peuple d'Indochine et appelaient les auditeurs à agir.

---

1. [ndt] Elle paraîtra sous peu sous le titre *Remembering Tomorrow. A Memoir* (New York, Seven Stories Press).

Les organisateurs, les pasteurs et les orateurs ne demandaient pas de dons en argent, mais bien un engagement profond dans l'opposition à la guerre.

Un après l'autre, des étudiants et des citoyens de Boston s'avançaient, allumaient leur briquet et, sous un tonnerre d'applaudissements, mettaient le feu à leur ordre d'incorporation. Tous les quatre, nous étions assis et applaudissions de là-haut. L'événement s'est terminé, nous sommes partis et j'ai alors ressenti un profond malaise. Quelque chose avait eu lieu ici et, bien entendu, le fait d'avoir regardé cette manifestation avait accru ma compréhension de la guerre : mais, par-dessus tout, cela avait transformé ma perception de ce qu'était ma responsabilité. Si le fait de brûler des ordres d'incorporation méritait mes applaudissements, cela n'appelait-il pas ma propre participation ?

Cette manifestation, en me faisant applaudir à des actions directes accomplies par d'autres et en me forçant à me demander pourquoi je n'étais pas plus engagé directement moi-même, a été un événement essentiel dans la définition de ce que je suis aujourd'hui.

Bien des années plus tard, alors que je lisais l'autobiographie de Dave Dellinger [1], j'ai appris que Dave était présent à cette occasion, qu'il y avait joué le rôle de maître de cérémonie et qu'un des étudiants ayant brûlé son ordre d'incorporation était son fils. Je ne connaissais pas Dave à cette époque, et je ne me souviens pas de sa présence. Mais je ne serais pas étonné d'apprendre que son style et sa grâce, à notre insu à tous les deux, ont contribué à susciter la réaction que j'ai eue ce jour-là et qui était précisément, à n'en pas douter, celle qu'il voulait susciter et celle que la désobéissance civile ambitionne de susciter.

Voilà donc un autre élément de mon éveil politique. Mais il est toujours incertain de s'en remettre à sa mémoire. Le mieux sera peut-être de renvoyer à quelque chose que j'ai écrit à cette époque et qui est, si je ne m'abuse, ma tout première publication.

1. David Dellinger, *From Yale to Jail. The Life Story of a Moral Dissenter*, New York, Pantheon Books, 1993. [ndt] Dellinger (1915-2004), pacifiste et militant pour la non-violence, est un des activistes états-uniens les plus célèbres du XXe siècle.

Le texte provient d'un album étudiant et j'essayais d'expliquer à mes confrères du MIT les positions qui étaient dorénavant les miennes.

Sous des millions de mots lus, on découvre ici des coups d'État et là des guerres ; et toujours ce sont nos corporations et nos intérêts financiers qui sont en jeu. Peu à peu, j'en suis venu à comprendre que quelque chose dans notre économie rend inévitables les horreurs que nous commettons au nom de la démocratie. Ce processus qu'ils appellent l'accumulation du capital et la poursuite sans entrave du profit, j'en suis venu à l'appeler impérialisme. À mes yeux, l'impérialisme, ce stade suprême de l'injustice, est devenu une omniprésente réalité. Je me suis fait le serment de détruire, quel qu'en soit le coût, l'impérialisme et le profit.

Dans ce texte, je décrivais ensuite mon engagement à plein temps dans la lutte politique :

Les mots et les idées deviennent bientôt une part de ce que nous sommes. Chaque action est reliée à toutes les autres : une grève ; une voiture qui ignore un auto-stoppeur ; un vol ; un vendeur déplaisant ; des avions survolant le Vietnam ; des réunions dans les résidences universitaires ; les femmes de ménage des banlieues ; Coca-Cola en Bolivie ; les cosmétiques ; des rues bondées ; la publicité ; l'autorité ; l'aliénation à l'école ou au travail ; des conversations fortuites ; tout cela qui semble si épars mais qui est tellement réel, toutes ces choses à ce point mauvaises dont nous voudrions nier l'existence mais qui sont reliées les unes aux autres et qui reposent toutes sur un ensemble instable de relations et d'institutions. Et c'est ainsi que j'ai lu Marx et le Che et que je suis devenu, à tout le moins devant mon miroir, un révolutionnaire états-unien.

Je continuais en évoquant « une leçon de toute première importance que j'avais apprise », à savoir que « le mouvement luttant en faveur d'un monde meilleur est lui-même l'embryon de la nouvelle société. Chacun des défauts qu'il aura réapparaîtra dans toute son horreur dans le monde que nous sommes à construire ».

J'insistais sur le fait que « la violence révolutionnaire doit s'exercer en pleine conscience et avoir pour but sa propre dissolution. Le leadership révolutionnaire doit être anti-autoritaire et doit venir du peuple. La discipline révolutionnaire doit être offerte et non exigée. Les révolutionnaires doivent toujours lutter contre leur propre tendance vers le racisme, le chauvinisme et l'accumulation de pouvoir et de privilège ».

J'insistais aussi sur le fait que « notre mouvement se doit d'être aussi humain que la société que nous aspirons à créer ».

J'écrivais encore qu'en tant que diplômés, « nous sommes face à une société caractérisée par la peur, la haine et l'avarice, où chacune des activités est marquée au coin de la compétition et où le tempérament national se façonne dans le racisme et la suprématie mâle. Lorsque nous regardons par delà nos frontières nationales ou dans les ghettos de nos propres cités, nous apercevons l'autre côté de la "prospérité capitaliste". Pour assurer la prospérité et la puissance de quelques-uns, le système actuel exige que plusieurs soient plongés dans la dégradation humaine, la misère et même la mort ».

Le choix était simple. Voici comment je le présentais à mes camarades de classe :

Voici venu le moment où nous recevons notre diplôme et le choix qui se présente à nous n'est pas compliqué. Nous pouvons reconnaître que nos vies sont un amas de contradictions, nous pouvons reconnaître que l'existence bourgeoise est celle de morts-vivants ; ou nous pouvons faire face aux inhibitions socialement induites en nous quant à l'usage de la force et à la contestation de l'autorité et reconnaître par là même nos responsabilités face à l'humanité. Nous pouvons nous joindre à ceux qui luttent ou nous joindre à ceux de l'autre côté. Nous pouvons marcher avec le mouvement ou contre lui. Nous pouvons tenter de détruire l'impérialisme ou nous pouvons implicitement œuvrer à détruire la révolution : mais il n'y a pas, et il n'y a jamais eu, de moyen terme. Des Vietnamiens meurent. Des Latinos-américains meurent. Des Africains meurent. Des Noirs états-uniens meurent. Partout dans le monde, des révolutionnaires meurent en luttant contre l'impérialisme, contre le colonialisme, contre le capitalisme et contre cette bureaucratie totalitaire qui existe en Russie sous le nom de socialisme. Des révolutionnaires meurent et nous leur refusons notre appui. À chacune des étapes de notre développement, on va tenter de nous faire revêtir la toge grise de l'agresseur. Nous devons être forts et choisir plutôt l'uniforme noir et rouge de la révolution.

Voilà donc, sans les embellir rétrospectivement, les convictions qui étaient alors les miennes et qui révèlent mes valeurs et mes espoirs. La personne qui adhérait à ces idées, rappelez-vous, était un étudiant au MIT durant ces années-là. Il était respecté précisément à cause de ces idées et du militantisme qui l'animait. Tout cela ne dit pas grand-chose sur moi, mais révèle beaucoup sur cette époque.

*

* *

On se souviendra que je me préparais à devenir un physicien. Comme je l'ai dit plus haut, ce ne fut pas le cas. Ce n'est pas tant que j'aie consciemment, un jour précis, décidé de renoncer à cette voie : c'est plutôt que je m'en suis progressivement et à vrai dire assez rapidement éloigné, pour m'engager dans l'activisme. La physique est une discipline très exigeante. Et tandis que mon centre d'intérêt passait des particules et des champs à la révolution, je me suis peu à peu retrouvé sur un nouveau sentier. Cependant, et en toute honnêteté, je dois avouer que par bien des manières la physique me manque. Bien que je ne sois pas une personne très introspective, je sais que cela est absolument vrai en remarquant que, depuis des décennies, une part substantielle de mes lectures a été et reste consacrée à des ouvrages de physique : à des ouvrages de vulgarisation, d'abord, mais aussi en certains cas à des ouvrages plus savants. On peut sans doute dire que j'étais né pour être physicien, mais que j'en ai été empêché par un monde dans lequel cela était impossible. Alors oui, très certainement, la physique me manque. Mais, d'un autre côté, ma vie s'est déroulée en un moment et en un lieu si privilégiés que je ne m'en ennuie pas trop. La physique reste pour moi comme un sentier non parcouru – et à propos duquel je demeure grandement curieux.

À ce propos, cependant, je pense que les sciences dures (les mathématiques, la physique, la biologie et ainsi de suite) permettent de construire une solide fondation pour appliquer effectivement sa pensée à quelque domaine que ce soit, bien que ce ne soit pas la seule voie possible pour ce faire. Certes, nous sommes tous soucieux de considérer les faits pertinents à propos d'une question donnée, d'avancer des arguments cohérents, d'être logiques, etc. Considérez simplement la manière dont les gens s'y prennent pour parvenir à des positions sur des sujets qui sont importants à leurs yeux – par exemple, les sports, la musique, leur domicile. Mais être toujours attentif aux implications des faits et à l'exigence de cohérence, avoir constamment à l'esprit les bases logiques pouvant fonder une croyance et être en mesure de les évaluer systématiquement ou d'élaborer des solutions de rechange valides et viables, tout cela est difficile à pratiquer de manière constante. Les sciences dures aident à développer ces habiletés.

Mais – et certaines personnes trouveront peut-être ce qui suit inattendu – il existe un autre domaine qui a lui aussi tout ce qu'il faut pour servir de fondation sur laquelle construire l'activisme : ce sont les sports compétitifs de haut niveau. C'est qu'il est difficile de penser stratégiquement et de décider des actions à entreprendre non selon des préférences passagères, mais en fonction d'une évaluation de ce qui est exigé et de ce qui est possible. Les stratégies sportives et la discipline qu'elles exigent constituent une excellente école pour tout cela. Elles apprennent à orienter notre pensée vers la recherche des obstacles et des meilleurs moyens de les surmonter : tout cela est essentiel si l'on souhaite travailler pour le changement social.

Ces considérations ont leur revers et j'ai passé un certain temps, durant les années 1990, à combattre les positions de ceux qu'on appelle les « postmodernistes ». Ma frustration envers le postmodernisme était double. D'un côté, je ne comprenais tout simplement pas : je n'avais aucune idée de ce que racontaient ces gens. D'un autre côté, il me semblait que cette manière de penser exerçait une influence grandissante, tout spécialement sur des jeunes étudiants et étudiantes ayant des valeurs et des aspirations de gauche. Cela me semblait quelque chose de dommageable, parce que je pensais que cette théorie ne conduisait pas vers des perspectives, des attitudes et des positions utiles, mais plutôt à de la passivité, de la désorientation, ainsi qu'à un obscurantisme élitiste. En un sens, j'en conviens, la même chose pourrait être dite de bien des disciplines académiques, comme l'économie néoclassique, la science politique dominante et ainsi de suite. Mais celles-ci ne prétendent pas faire partie de la dissidence, de la résistance ou de la révolution, alors que le postmodernisme, ou le « pomo » comme j'aime à l'appeler, avait bien cette aura révolutionnaire et progressiste. Qui plus est, le pomo, dans son évacuation du bon sens et de la raison, était plus outrancier encore que les disciplines académiques évoquées plus haut. Et c'est pourquoi, pour un temps, le postmodernisme est devenu pour moi un enjeu et j'ai cherché à démontrer la pauvreté de la perspective qu'il mettait de l'avant.

Ma première rencontre « cervelle contre cervelle » avec le postmodernisme s'est déroulée en 1992. Stephen Marglin, un ami qui est aussi économiste à Harvard, m'avait invité à parler de ma vision économique lors d'une rencontre académique qui se tenait à Amherst, au Massachusetts. Quelque 30 professeurs provenant de différents domaines se rencontraient périodiquement pour explorer de nouvelles idées et souhaitaient m'entendre. Je m'y suis donc rendu afin de voir ces gens et de discuter avec eux. J'y allais pour arguer qu'une vision économique était une chose indispensable et pour expliquer pourquoi, pour ma part, je défendais un modèle économique appelé « économie participaliste » – je reviendrai plus loin sur ce modèle dont je suis un des deux créateurs.

Or, je parlais depuis à peine une dizaine de minutes lorsque je me rendis compte que j'étais en train de perdre mon auditoire. Certes, ils ne quittaient pas la salle, mais, manifestement, ils ne prenaient pas mes mots au sérieux et ils étaient ailleurs. Je me suis alors arrêté de parler pour dire : « Je me rends bien compte que cela ne marche pas ; je vous perds. Y a-t-il une raison pour laquelle vous choisissez de ne pas m'écouter ? »

Frederique Marglin, un anthropologue bien connu, me répondit essentiellement ceci : « Vous avez tout à fait raison : nous ne vous écoutons pas. C'est qu'il est clair que vous n'allez pas nous transmettre des choses que nous avons besoin d'entendre. »

Sidéré, je demandai : « Comment pouvez-vous le savoir si rapidement ? Je viens à peine de commencer à dire pourquoi une vision économique en général me semble nécessaire et je n'ai encore rien dit de l'économie participaliste en particulier. » Frederique me répondit : « Mais nous pouvons d'ores et déjà voir comment vous pensez. Vous nous présentez des faits. Vous utilisez la logique. Vous pensez que vous nous apportez des vérités devant lesquelles nous devons nous situer. Je parie que vous êtes une sorte de scientifique. »

Je me demandai alors si je n'avais pas mal entendu. Je dis : « Oui, j'ai en effet une formation en physique et en économie. Mais quelle différence cela fait-il ? Oui, bien sûr, je m'apprêtais à formuler des arguments convaincants. Pour quelles autres raisons abuserais-je de votre temps en vous présentant cet exposé ? »

Frederique me dit alors : « Mais il n'y a pas de vérité : seulement des histoires. Et essayer de soutenir que vous dites des choses vraies nous indique qu'il ne vaut pas la peine de vous écouter. »

Il me semblait que je venais d'atterrir au Pays des merveilles. Mais Frederique ne blaguait pas. Je lui dis : « Mais bien sûr qu'il y a des vérités. Connaissez-vous les lois de Newton ? » Mais avant même que je puisse fournir d'autres exemples, Frederique répondit : « Non, elles ne sont qu'une autre narration. »

J'aurais aussi bien pu m'en tenir là ; mais peu après, je demandai : « Vous rendez-vous compte que vous refusez de m'entendre sans même vous demander si ce que je dis est ou non valide. Cela est stalinien ! » Ils rirent et répondirent que non, c'était sage. Je leur objectai qu'eux-mêmes utilisaient la logique. Ils me dirent que oui, sans doute, mais qu'ils en connaissaient les limites.

Je leur assurai alors que moi aussi j'en connaissais les limites. J'expliquai que si j'étais conscient du sentiment d'incrédulité qui m'habitait devant ce qu'ils soutenaient, cela ne tenait pas à la logique, mais à mes réactions émotionnelles. Que c'était par mes sens, et non par la science, que je savais que l'herbe est verte. Que c'était par l'expérience que j'en avais que je savais ce qu'est l'amour, et non par une théorie. En tout état de cause, c'était par mes gènes et par mon histoire que je savais parler et déchiffrer ce que les autres disaient, et non par la science. Mais je savais aussi que dans les domaines où les faits et une argumentation logique sont pertinents, la logique et les faits ont une grande importance.

Cela, ils ne pouvaient pas le voir, ou du moins, ils assuraient qu'ils étaient incapables de le voir. Pourtant, bien évidemment, aucun d'entre eux ne s'en remettait à ses sentiments pour décider de prendre ou non l'avion ; ni pour affirmer que la table dans la pièce est vide à 99,99 %, comme le dit la science, ou est plutôt parfaitement solide, comme le leur assurent leurs yeux ; ou que le soleil est une boule orange lisse et de proportions modestes flottant à une hauteur d'environ un mile ou que c'est plutôt un terrible, tumultueux et gigantesque four flottant à 93 millions de miles, comme la science l'assure.

Au contraire, ils croyaient ce que permettent d'assurer les faits et la logique lorsqu'ils sont disponibles et pertinents. Pourtant, semble-t-il, ils ne voulaient pas que je fasse de même.

J'étais donc rejeté sans raison, parce que la raison elle-même était rejetée. Mes hôtes, désireux d'éliminer le sectarisme, faisaient eux-mêmes preuve de sectarisme. Dans le but d'éliminer le fondamentalisme, ils faisaient preuve de fondamentalisme. Ces questions m'ont beaucoup préoccupé durant les années qui suivirent.

Le postmodernisme n'est pas quelque chose m'ayant habité comme une curiosité intellectuelle qu'il me fallait explorer ou comme un malaise qu'il me fallait résorber. Il ne m'aurait pas intéressé n'eût été du fait que sur les campus, le postmodernisme attirait plusieurs activistes potentiels et sérieux et les transformait en quelque chose de bien moins utile pour l'humanité ; sans cela, jamais je n'aurais écrit le moindre mot sur le sujet.

Mon plus notable effort pour limiter l'attrait du postmodernisme a été de consacrer un numéro des *Z Papers* à cette question. À cette occasion, j'ai demandé à Steve et Frederique Marglin de suggérer des gens qui pourraient se faire les avocats du postmodernisme. À leur suggestion, un certains nombre d'universitaires ont été approchés. De mon côté, j'ai demandé à Noam Chomsky et à Barbara Ehrenreich de se joindre à moi pour offrir la réplique antipostmodernisme. Le numéro a paru quelque huit mois après la rencontre d'Amherst.

En un sens, il s'agissait d'un exemplaire échange de vues opposées les unes aux autres et permettant aux lecteurs de juger par eux-mêmes. Mais, d'un autre côté, tout le débat était quelque peu étrange, puisque chaque partie considérait que l'autre était aveugle.

Après le débat, j'ai eu quelques échanges de courriels avec Kate Ellis, une des participantes propostmodernisme, et je lui ai demandé comment elle allait, en mentionnant qu'il m'avait semblé que le débat avait révélé que les défenseurs du postmodernisme manquaient à ce point d'arguments qu'ils devaient penser que cela avait été une grande erreur de leur part de participer à ce débat et qu'ils devaient donc déplorer qu'il ait eu lieu. Kate m'a répondu qu'elle se sentait parfaitement bien, merci, mais qu'elle s'inquiétait pour moi. Est-ce que cela me dérangeait d'avoir aussi complètement perdu la face en public ?

Nous avions donc eu un long échange entre neuf personnes. Six d'entre elles avaient défendu le postmodernisme et considéraient avoir démoli leurs détracteurs. Les trois personnes ayant attaqué le postmodernisme considéraient pour leur part que c'est à peine si elles s'étaient trouvées devant un adversaire véritable et étaient désolées pour les six autres participants. Le fossé communicationnel, décidément, n'avait donc pas diminué : bien au contraire, il s'était élargi.

Une autre fois, au milieu des années 1990, alors que je devais aller de Boston à New York pour participer à une Socialist Scholars Conference, je demandai à l'ami qui m'accompagnait d'avoir l'obligeance, durant les cinq heures que nous passerions sur la route, de m'expliquer ce qu'était le postmodernisme. Il accepta le défi, nous nous mîmes en route. Il parla. J'écoutai.

Lorsque nous sommes arrivés à New York, s'il m'avait demandé : « Qu'est-ce que le postmodernisme ? » j'aurais été incapable de répondre. Au bout de cinq heures, je ne savais toujours pas ce qu'était le postmodernisme. Était-ce que mon professeur était incapable d'expliquer un concept en cinq heures ? Était-ce que j'étais incapable de comprendre un concept en cinq heures ? Était-ce que le concept lui-même n'était qu'un vague brouillon, de la bouillie impossible à clarifier ? Devant la situation, je soupçonnai que si je n'arrivais pas à comprendre le postmodernisme, c'est parce qu'il n'y avait rien à comprendre. Je songeai alors :

supposons que vous êtes un professeur de littérature anglaise et que vous souhaitez un salaire élevé, un statut intellectuel et la permanence. Comment le fait de discuter de *Crime et châtiment* ou de *Ode sur une urne grecque* [1] – sans rien dire des paroles de chanson de Madonna – pourrait-il justifier un tel salaire, un tel statut et des conférences payées à l'étranger ? Je conclus que pour justifier de tels avantages pour un travail aussi ordinaire, un argument possible serait de soutenir qu'il est nécessaire, pour accomplir ce travail, de maîtriser une théorie, que sa maîtrise demande des années et que certaines personnes savent l'utiliser mieux que d'autres.

De ce point de vue, « le discours » incompréhensible des théoriciens de la littérature contribuait à légitimer leur statut. En conséquence, des professeurs raisonnables pouvant accomplir de bonnes choses devaient malgré tout suivre la ligne du parti, parler comme il convenait et écrire ce qu'il fallait pour préserver cette image.

Et c'est ainsi que si on examinait ce que les théoriciens (postmodernistes) de la littérature disaient à propos de romans, de films, de MTV, de l'architecture moderne, de la chanson populaire et de la littérature moderne, on trouvait des textes truffés de « moments postmodernes », de « binarismes », de « pure systématicité », de « méta-narration », de « déconstruction », de « matérialité irréductible » et encore de « dialogismes ». Les prophètes postmodernistes avaient-ils vraiment besoin de termes comme ceux-là pour parler de Talking Heads, de *The Young and The Restless*, de *Star Wars* et du cinéma de Hollywood, du Dodger Stadium, ou encore de Ishmael Reed ?

Et même si « l'irréductible matérialité » et la « pure systématicité » étaient très exactement les concepts qu'il faut pour « théoriser » Madonna, les prophètes du pomo ne pouvaient-ils pas vulgariser leurs résultats de telle manière que les autres puissent savoir de quoi il est question ? Même la physique la plus difficile peut être présentée aux non-physiciens de telle manière qu'ils puissent avoir une bonne idée des principaux résultats obtenus, ainsi que des méthodes utilisées et des questions posées. S'il

---

1. [ndt] Des œuvres de Feodor Dostoïevsky et John Keats, respectivement.

est possible, par la vulgarisation, de rendre compréhensibles des théories où il est question de décohérence quantique, de gluons, de Big Bang et de trous noirs, et même de multivers, il devrait être possible de rendre compréhensibles des théories portant sur la culture populaire et la communication.

Lorsque j'ai écrit sur ces sujets dans quelques articles parus dans *Z magazine*, j'ai reçu de très nombreuses lettres de gens qui se disaient enchantés que quelqu'un démolisse le postmodernisme. Ces messages ne provenaient pas seulement de jeunes étudiants, mais encore de professeurs. Ces personnes admettaient toutes qu'au sein de diverses professions, il existait un voile que l'on devait appeler clarté ; un obscurcissement qu'il fallait appeler sagesse ; un manque d'à-propos qu'il fallait appeler créativité ; des propos décousus qu'il fallait appeler génie – sans rien dire d'un obscurantisme qu'il fallait trouver artistique. J'étais dès lors encore plus convaincu que dans le postmodernisme, on trouvait des énoncés banals, des truismes rendus linguistiquement obscurs, des énoncés à l'évidence faux mais difficiles à discerner à travers le verbiage et, pour finir, des énoncés qui n'étaient ni vrais ni faux, mais inintelligibles et dénués de signification.

Quoi qu'il en soit, il semble bien que les idées regroupées sous l'appellation de postmodernisme aient aujourd'hui une influence beaucoup moins grande, tout particulièrement sur la gauche. Et si cela est vrai, je pense que c'est une bonne chose.

*
* *

Mais revenons à présent au moment où s'amorce, en compagnie de Robin Hahnel, le travail théorique que nous allons réaliser ensemble.

Nous avons d'abord entrepris d'examiner attentivement diverses traditions de la pensée politique, et cela, dans le but de discerner ce qui y était valable et ce qui y était moins valable. Les raisons d'entreprendre ce travail sont faciles à comprendre : il ne sert à rien de développer quelque chose de nouveau si ce qui existe convient parfaitement. Comme on le dit en anglais : *if it ain't broke, don't fix it* (si ce n'est pas brisé, ne le réparez pas) !

Il sera utile de toucher ici un mot du contexte dans lequel nous nous trouvions. Tandis que mes camarades et moi acquérions au sein de la nouvelle gauche (*The New Left*) une plus grande maturité politique, nous nous trouvions en effet dans un milieu très marqué par le marxisme et bien souvent par le léninisme : il était fatal que nous réagissions à tout cela. Deux voies se présentaient à nous.

La première était d'adhérer, sans doute avec quelques nuances, à la perspective marxiste-léniniste. L'autre était le rejet des caractéristiques centrales de ce modèle et débouchait sur la nécessité de formuler une nouvelle voie. Robin et moi-même avons tenté de rester au sein du vaste héritage marxiste – si on peut l'appeler ainsi ; mais ce fut en vain. Il y avait au sein de cet héritage trop d'éléments qui nous semblaient trompeurs, erronés et même dommageables. Le dialogue critique que nous avons alors entrepris avec le marxisme a occupé un temps considérable durant ces années.

À l'examiner de plus près, on y découvrait deux lignes directrices. Tout d'abord se posait la question de l'appareil conceptuel. Très tôt, il nous est apparu que si l'on ambitionnait de gagner des victoires substantielles aux États-Unis et, plus encore, si l'on souhaitait y créer une nouvelle société, il fallait sans doute s'intéresser à l'économie, mais également, et de manière tout aussi prioritaire, aux questions raciales, aux genres sexuels, aux pouvoirs, ainsi qu'aux questions environnementales et aux relations internationales. On ne saurait, bien entendu, soutenir que le marxisme ignorait tout cela. Cependant, dans la plupart des cas, et tout particulièrement dans le cadre de conflits et de luttes difficiles, les marxistes et le marxisme tendent à concevoir toutes ces autres dimensions de la vie comme des résultantes de l'économie et en particulier des classes sociales. Un tel économisme, qui fait des catégories économiques et tout particulièrement des relations de classes la pierre de touche de toute pensée, était selon nous profondément erroné.

Ce n'est pas que l'économie n'est pas d'une importance cruciale : cela, nous en convenions. Mais nous insistions pour affirmer que les autres domaines étaient eux aussi d'une importance critique. Nous ne niions pas non plus que, de l'économie, émanaient des faisceaux d'influence affectant gravement les familles, les religions, les races et ainsi de suite. Mais nous soutenions que de la parentèle, de la culture et de la politique émanaient également des champs d'influence qui agissaient les uns sur les autres ainsi que sur l'économie.

Le deuxième problème du marxisme selon nous était plus troublant et plus profond. Il nous semblait en effet qu'entre plusieurs autres défauts de la conceptualisation marxiste de ce domaine pour lui central qu'est l'économie, il en était un qui rendait impossible notre adhésion à ce modèle : nous soutenions que le marxisme n'avait pas mis au jour et pris en compte une classe sociale de toute première importance située entre le travail et le capital. Cette classe, nous l'avons appelée celle des coordonnateurs. Ce point aveugle rendait le marxisme incapable de montrer comment les institutions économiques, et en particulier la division du travail au sein des corporations, induisaient une différenciation des acteurs économiques fondée sur le fait que certains jouissaient de circonstances et de conditions d'autorité gratifiantes, alors que d'autres devaient se contenter de circonstances et de conditions subordonnées et machinales.

Ce thème devint très important pour nous et nous l'avons exploré de diverses manières, lesquelles nous ont conduits, au bout du compte, à avancer une thèse controversée, à savoir que le marxisme-léninisme est l'idéologie de cette troisième classe, la classe des coordonnateurs, et non celle des travailleurs.

Nous en sommes ainsi venus à comprendre que ce qui avait été appelé socialisme était, en fait, un système économique qui élevait au statut de classe dirigeante et au-dessus des travailleurs quelque 20 % de la population – il n'y avait alors bien entendu plus de capitalistes. Puisque nous aspirions à la disparition des classes sociales, le résultat précédent impliquait qu'il nous fallait de nouveaux concepts et une nouvelle vision. Cela a orienté une bonne part de notre travail ultérieur, notamment sur l'économie.

Mais les analyses qui précèdent ont également un impact sur la stratégie – et peut-être même est-ce pour la stratégie plus que pour quoi que ce soit d'autre qu'elles ont de l'importance. C'est que s'il y a deux classes sociales principales, il s'ensuit qu'être anticapitaliste implique que le mouvement de transformation sociale recherchera une nouvelle économie désirable. Mais, s'il y en a trois, on constate qu'on peut fort bien être anticapitaliste et rechercher une économie au sein de laquelle les travailleurs resteront subordonnés. Du point de vue stratégique, une question centrale est donc de savoir comment il convient d'organiser des mouvements et de chercher à réaliser aujourd'hui même les prémices de la société à venir, de telle manière que cela conduise à l'absence de classes sociales plutôt qu'à l'émergence d'une classe de coordonnateurs.

Je ne peux entrer ici dans le détail des concepts et des analyses que nous avons mis de l'avant. Mais, pour aller à l'essentiel, disons que nous avions d'abord l'idée que les sociétés sont composées de divers domaines, que nous appelons des *sphères*, et parmi lesquelles nous distinguons principalement la sphère économique, la sphère politique, la sphère des relations de parentèle et de genre et la sphère de la culture ; celles-ci interagissent et s'adaptent les unes aux autres. Pour cette raison, nous appelons notre modèle le *holisme complémentaire*.

D'autre part, nous mettons l'accent sur la nécessité de prendre en compte diverses caractéristiques des êtres humains dans nos conceptions économiques et sociales, et donc de porter une grande attention aux effets institutionnels de ces attributs. Sur le plan économique, cela impliquait de porter une grande attention à la manière dont le travail et la consommation affectent la conscience.

Comme je l'ai dit, nos réflexions ont abouti, en économie, à la proposition d'un modèle, d'une vision économique. On nous a souvent demandé de justifier ce travail en arguant qu'il pouvait être une perte de temps pour des gens aspirant à des transformations sociales. Il est exact que si une telle vision n'avait pas de rapport avec le changement social, notre travail serait bien une perte de temps. En ce cas, il est très vraisemblable que la description d'éléments cruciaux d'une société future désirable serait peut-être intéressante, mais ce travail ne serait ni urgent ni utile. Mais je ne pense pas du tout que les visions ne présentent pas d'intérêt pour le changement social. Bien au contraire, je pense que le fait de développer une vision claire, cohérente et convaincante de ce que nous tentons d'atteindre en lieu et place des institutions existantes est d'une grande importance, non seulement du point de vue de l'inscription de nos efforts dans la longue durée, mais aussi du point de vue de ce que nous accomplissons au jour le jour.

Je suis arrivé à cette conviction très simplement. C'est qu'on ne voit pas comment on pourrait semer les germes de la société future à laquelle on aspire si on ignore tout des caractéristiques de cette société. Si vous ignorez où vous souhaitez aller, comment pouvez-vous orienter ce que vous faites aujourd'hui de telle manière que cela conduise où vous voulez aller? Finalement, comment pouvez-vous aider les gens à surmonter leurs peurs et leur conviction qu'il n'y a aucune solution de rechange si vous n'êtes pas en mesure de décrire une « alternative » qui soit à la fois viable et attirante?

Tout cela a fait que mon intérêt pour le développement de visions est devenu, durant quelques années, une sorte d'obsession. Il me semblait que le développement de visions n'était pas quelque chose de simplement utile – ce qui aurait déjà justifié qu'on y travaille – mais bien une exigence capitale et rigoureusement incontournable.

Le sentiment d'impuissance, si répandu, me semblait un obstacle central, et peut-être même le plus central, empêchant les gens de donner de leur temps et de leur énergie au militantisme. Pourquoi voudrait-on pousser des rochers vers le sommet des montagnes? Pourquoi perdre son temps à souffler contre le vent? S'il est impossible de vivre dans un monde meilleur que celui que nous sommes forcés d'endurer, pourquoi devrions-nous œuvrer pour un monde meilleur? Et justement : si nous ne disposons pas d'une vision, nous demandons aux gens de conclure ce qui leur semblera un marché de dupes et de fait, le plus souvent, ils refuseront de le faire. C'est pourquoi, en plus de la motivation à lutter pour le changement social, nous devons donner orientation et direction au militantisme actuel. Élaborer des visions me semblait donc d'une importance cruciale. Mais c'était également – et incroyablement – quelque chose qu'à peu près personne n'accomplissait. C'est tout cela qui m'a amené à essayer de développer la vision économique appelée « économie participaliste [1] ».

Très brièvement, ce modèle économique est construit à partir de quelques valeurs fondamentales et de quelques institutions.

Les valeurs, pour commencer. Ce sont la solidarité, la diversité, l'équité, l'autogestion et l'efficience.

Par solidarité, nous voulons dire que la vie économique devrait promouvoir la socialité plutôt que de forcer les gens à s'engager dans une foire d'empoigne dans laquelle soit ils écrasent les autres, soit ils sont écrasés par eux. En d'autres termes, les institutions économiques devraient donner aux gens des motivations mutuellement compatibles. Produire, allouer des ressources, consommer, tout cela devrait, idéalement, avoir lieu dans un contexte au sein duquel le gain de chacun dépend du bien de tous les autres.

Par diversité, nous voulons dire que la vie économique devrait pouvoir envisager diverses solutions aux problèmes auxquels elle fait face, expérimenter avec elles et donc, en quelque sorte, ne pas mettre tous ses œufs dans le même panier. Cela signifie également apprécier et faire sa place à l'étendue des préférences et des possibilités vers lesquelles les personnes tendent naturellement, plutôt que de les uniformiser en copies les uns des autres.

L'équité est quelque chose d'un peu plus complexe que les deux valeurs précédentes. C'est que l'on peut par cette valeur vouloir dire des choses fort différentes. L'économie participaliste entend par équité le fait que ce que les gens devraient recevoir de la vie économique devrait être établi en tenant compte de leur

---

1. [ndt] De Michael Albert, on pourra lire, en français : *Après le capitalisme : éléments d'économie participaliste*, Marseille, Agone, 2003 ; *L'Élan du changement : stratégie nouvelle pour transformer la société*, Montréal, Écosociété, 2004.

égalité morale et de ce qui encourage l'indispensable besoin de résultat économique. Au lieu de rémunérer la propriété, le pouvoir ou les *outputs*, l'économie participaliste entend par équité le fait de ne rémunérer que la durée, l'intensité et la difficulté du travail auquel il est accordé une valeur sociale. C'est ainsi que si vous travaillez plus longtemps, plus fort, ou dans des conditions plus pénibles, vous recevrez plus à la condition qu'il soit socialement accordé de la valeur à ce que vous faites. Mais vous n'obtiendrez pas plus en raison des résultats engendrés par votre propriété, vos ressources ou même votre talent ou celui de ceux et celles qui travaillent avec vous – encore moins parce que vous auriez plus de pouvoir.

Par autogestion, nous entendons que chaque personne devrait avoir quelque chose à dire dans les décisions qui sont prises à proportion que ces décisions auront une influence sur elle. Si une décision a sur moi un impact plus grand, ma voix aura plus de poids dans la décision qui sera prise. Si cette décision m'affecte moins, ma voix aura, cette fois, moins de poids. Et ce même principe s'applique à tout le monde et de la même manière. L'atteinte d'un consensus est parfois, en certains contextes, la bonne manière de pratiquer l'autogestion. En d'autres cas, c'est la règle de la majorité qui doit s'appliquer. Dans d'autres cas encore, différentes méthodes pour exprimer des préférences, en débattre, les raffiner et finalement prendre une décision seront raisonnables. Tout cela, cependant, relève des moyens. Mais, chaque fois, dans une économie participaliste, le principe est et doit rester l'autogestion.

Finalement, l'efficience. Par elle nous entendons le fait d'atteindre les buts désirés sans gaspillage des ressources et en utilisant les meilleurs moyens. Bien entendu, si les buts visés sont le profit pour quelques-uns et si on n'accorde de valeur à la vie humaine qu'à celle des propriétaires, on a alors une conception de l'efficience qui profite à quelques-uns au détriment de tous les autres et qui engendre la barbarie. Mais si les buts désirés sont de satisfaire les besoins tout en respectant la solidarité, la diversité, l'équité et l'autogestion, comme c'est justement le cas dans une économie participaliste, alors, être efficient est une valeur grandement humaine.

S'il est possible de parvenir à un accord sur ces valeurs, le problème de développer une vision économique consiste ensuite à trouver des institutions qui accompliront les fonctions économiques – production, consommation, allocation de ressources – d'une manière qui soit cohérente avec ces valeurs et qui en assure la promotion. Déterminer quelles sont ces institutions est justement ce que Robin Hahnel et moi avons ensuite voulu accomplir. Au bout du compte, me semble-t-il, le résultat est assez simple.

Nous avons d'abord dû rejeter les institutions économiques habituelles – la propriété privée et une rémunération fondée sur elle ou sur le pouvoir ou sur les résultats ; l'habituelle division du travail ; la structure autoritaire de prise de décision ; ainsi que les marchés et la planification centrale comme mécanismes d'allocation. C'est que ces institutions sont incompatibles avec les valeurs que nous souhaitions promouvoir. En lieu et place, nous sommes parvenus à la propriété commune des moyens de production ; à des conseils autogérés de producteurs et de consommateurs ; à une rémunération selon l'effort et le sacrifice ; à des ensembles équilibrés de tâches par lesquels chaque personne accomplit un ensemble de tâches qui sont, du point de vue de la gratification et du renforcement du pouvoir et de l'autonomie, comparables à n'importe quel autre ensemble de toute autre personne ; et finalement, à une allocation des ressources réalisée par planification participative par laquelle producteurs et consommateurs négocient les intrants et les extrants en pleine connaissance des coûts et des bénéfices sociaux réels.

On peut également exprimer tout cela de la manière suivante : l'économie participaliste aspire à l'absence de classe sociale ; en cela, elle est différente d'une économie favorisant les propriétaires monopolisant privément les actifs ou d'une économie favorisant ceux que nous appelons les coordonnateurs, qui monopolisent au sein d'une économie les positions gratifiantes et qui accroissent le pouvoir et l'autonomie. Une économie participaliste offre un contraste saisissant non seulement avec le capitalisme, mais aussi avec ce qui s'est donné pour du socialisme, à savoir des systèmes ayant recours au marché ou à la planification centrale, à la division du travail au sens usuel du terme, à une rémunération fondée sur le pouvoir et la productivité et qui maintient, au-dessus des travailleurs, une classe de coordonnateurs.

Concevoir de cette manière la distinction entre la vision que propose l'économie participaliste et ce qui a été appelé la vision socialiste (et non les valeurs socialistes, qui sont généralement très proches de celles de l'économie participaliste) a des implications stratégiques évidentes. L'économie participaliste nous montre qu'il est possible d'être anticapitaliste sans toutefois être pour l'absence de classes sociales. Elle nous rappelle que les mouvements anticapitalistes peuvent être structurés et fonctionner de telle manière qu'ils soient les prémices d'une nouvelle division de classes. Il nous appartient donc d'être attentif à tout cela et de semer dès aujourd'hui les germes de l'avenir auquel nous aspirons.

*

* *

Je voudrais dire un mot de la réception de ce travail, à la fois dans les milieux académiques et dans les milieux militants. En certains cas, l'économie participaliste a été reçue avec un profond bâillement. En d'autres cas, moins fréquents, elle a été reçue avec hostilité et scepticisme. Mais la réponse dominante a été de nous ignorer. En fait, il a fallu plus d'une décennie avant que l'on nous accorde une attention sérieuse – et cela ne fait donc à vrai dire que commencer. Cet état de fait est un peu étrange, me semble-t-il.

Certes, il est vrai que des idées significativement différentes mettent toujours du temps avant d'être sérieusement prises en compte – et d'être ensuite ou rejetées ou adoptées. Il est donc tout à fait possible que ce soit ce qui arrive à l'économie participaliste. Mais je soupçonne aussi que nous nous trouvons cette fois devant des obstacles différents de ceux qu'on trouve habituellement. Ces nouveaux obstacles, s'ils existent vraiment, sont beaucoup moins bénins que ceux qui se dressent habituellement devant les idées nouvelles et qui peuvent être vaincus avec le temps et au fur et à mesure que ces idées deviennent plus familières.

Pour ma part, je tends à penser que l'économie participaliste est un défi lancé à diverses croyances et convictions particulières largement partagées et que c'est pour cette raison qu'elle demeure tenue à distance. Je pense en effet que si l'économie participaliste devait devenir un objectif largement partagé par la gauche, cela aurait des incidences profondes non seulement sur ce que nous voulons pour l'avenir, mais aussi sur la manière dont nous fonctionnons dès à présent.

Quiconque n'aime guère ces conséquences a de bonnes raisons de souhaiter que l'économie participaliste soit ignorée et disparaisse. Pour ne donner qu'un seul exemple, si l'atteinte d'une économie participaliste était un objectif largement promu, de grandes pressions s'exerceraient aussitôt pour demander que l'on reconstruise notre mouvement, nos projets et nos organisations de manière à ce qu'ils soient congruents avec l'équité et l'autogestion : ce que cela signifie, en particulier, est d'y instituer des ensembles équilibrés de tâches. Un tel changement n'est pas souhaité par tout le monde.

Une analogie avec une situation passée – et toujours actuelle – éclairera mes propos. Lorsque la gauche a commencé à adopter sérieusement des perspectives féministes et antiracistes, elle a dû repenser non seulement ses aspirations et les demandes qu'elle adressait à la société tout entière, mais aussi sa propre structure interne, sa culture ainsi que ses pratiques quotidiennes et ainsi de suite. Il lui a donc fallu détruire, de l'intérieur, le racisme et le sexisme et s'efforcer d'atteindre une structure interne et des normes cohérentes avec le programme qu'elle mettait de l'avant pour l'ensemble de la société.

Ce serait incohérent en effet de vouloir éliminer le sexisme et le racisme dans la société tout en maintenant par ailleurs une structure interne sexiste et raciste. De même, il est impossible de souffrir à l'interne de tels maux et d'espérer attirer et conserver une participation large et variée. La gauche a donc dû changer.

La même chose se produirait pour une gauche qui adopterait, en économie, la perspective prônée par l'économie participaliste. Cette fois, il s'agirait d'un *aggiornamento* sur le plan des classes sociales. Celui-ci aurait des incidences à l'interne sur notre mode d'organisation ainsi que sur nos revendications, notre langage, notre culture, et ainsi de suite. Ces incidences seraient profondes et je pense qu'elles suscitent un malaise chez plusieurs, un peu comme celles que suscitaient, il y a 40 ans, au sein de notre mouvement, les questions de race et de genre.

Ce sont entre autres, me semble-t-il, des réticences de ce genre, liées à l'idée d'absence de classes sociales, qui ont, en plus des habituels obstacles, nui à un examen plus approfondi de l'économie participaliste.

Cela dit, l'économie participaliste reçoit aujourd'hui une attention grandissante.

*
*   *

On s'en doute, mes idées sur l'avenir de nos mouvements découlent dans une grande mesure de l'analyse qui précède.

Je pense que nos mouvements, à différents moments et dans différents contextes, se sont avérés très efficaces pour engendrer à la fois des prises de conscience et de l'action en faveur du changement. Mais je pense également qu'ils ont été très faibles dans leur capacité à maintenir cet élan, à l'approfondir et à l'enrichir, non seulement sur le plan des idées mais aussi sur celui de leurs incidences sur les institutions.

Nous avons bien eu des soulèvements, mais pas cette continuité d'action dont nous avons tellement besoin. Nous nous sommes opposés à bien des choses, mais n'avons pu exprimer des aspirations positives dont nous aurions grandement besoin. Nous avons, en abondance, de la colère ; mais pas suffisamment d'espoir et d'orientation. Nous avons obtenu des appuis ; mais n'avons pas su les retenir. Nous avons, avec raison, eu des objectifs larges : mais nous n'avons pas suffisamment su mettre en ordre et organiser leurs diverses composantes.

Tout cela tient, à n'en pas douter, à un grand nombre de raisons. Mais parmi elles, il faut certainement compter notre manque de vision et de stratégie.

Parmi les autres facteurs ayant joué un rôle, je soulignerais que nous avons souvent créé des mouvements qui étaient à ce point soucieux de ne pas faire de compromis qu'ils ont fini par se trouver à l'écart des préoccupations de la vie quotidienne, des idées et des aspirations des gens ordinaires. Nous avons également tendu à mêler si intimement nos identités personnelles et nos convictions et actions politiques que nous avons considéré que toute critique de nos idées était une critique de notre être même. Ce faisant, nous nous placions sur la défensive, contre-attaquions et nous enfermions dans des querelles sectaires bien peu attirantes aux yeux d'éventuels participants à nos mouvements.

Aujourd'hui comme hier, nous devons construire des mouvements capables d'attirer et de maintenir la participation la plus large possible.

Le Projet international pour une société participaliste[1] est justement un groupe qui réunit une soixantaine de personnes ayant participé – ou auraient souhaité participer – à des discussions qui se sont tenues en juin 2006. Ces personnes espèrent pouvoir contribuer toutes ensemble à l'élaboration de visions et de stratégies.

Ce que leurs efforts engendreront reste à voir. Mais il me semble hors de tout doute raisonnable que nos groupes, nos projets et, plus largement, tout notre mouvement ont besoin de ce type d'engagement.

---

1. [ndt] On peut consulter ses travaux à http://www.zmag.org/pps.html. [Lien consulté le 31 décembre 2006]

Judy Rebick

La convergence

Judy Rebick est une militante pour la justice sociale et une féministe très connue au Canada anglais. Elle est aussi directrice de la Chaire sur la justice sociale et la démocratie de l'Université Ryerson de Toronto. Elle est l'auteure de plusieurs livres, dont le dernier est Ten Thousand Roses : The Making of a Feminist Revolution *(Penguin, 2005). Le texte qui suit a été traduit par Jean-Marc Piotte.* ∎

JE SUIS SURTOUT UN PRODUIT de mon temps. J'ai grandi dans les années 1950 et 1960, me rebellant contre les structures d'une société répressive et sexiste. À l'Université McGill, j'ai œuvré au journal étudiant, où je pouvais satisfaire ma passion pour l'écriture et où j'ai rencontré des militants politiques avec lesquels je partageais une même révolte. Dans mon premier militantisme, j'ai défendu le mouvement des droits civils, puis le mouvement pour la paix parmi les étudiants. Mais ce sont surtout des voyages, effectués après mes études universitaires, qui m'ont conduite sur la voie politique que je poursuis depuis. Après un bref séjour à Toronto, j'ai déménagé à New York, où j'ai été profondément bouleversée par le racisme qui s'y étalait. *Soul on Ice* d'Eldridge Cleaver [1] est sans doute le livre qui m'a le plus ouvert les yeux sur la profondeur et l'étendue de ce racisme.

Ma vision politique a davantage été formée par mes propres expériences politiques que par tout ce que j'ai pu lire. Juive, ma visite en Israël en 1969 m'a rendue antisioniste. Ce que j'ai vu là-bas était opposé à tout ce que je valorisais comme Juive. C'était, même à cette époque, une société si agressivement militariste,

1. Random House, 1968.

sexiste et raciste que je n'avais d'autre choix que de m'y opposer radicalement. *Jewish Question* d'Abraham Leon [1] m'a convaincue de maintenir et d'approfondir mes positions antisionistes : il soutenait, dès 1946, que le mouvement sioniste est un piège qui enferme les Juifs avec les oppresseurs et contre les opprimés.

En voyageant de la Turquie à l'Inde, j'ai découvert une pauvreté et une misère inimaginables. De retour à Toronto, je suis donc demeurée imperméable aux arguments des nationalistes canadiens qui affirmaient que le Canada ressemblait aux pays du tiers-monde. Ayant vu de près ces sociétés, je n'ai jamais pu accepter cette position alors dominante parmi la gauche canadienne. Aussi, je me suis mise à la recherche d'une vision du monde qui m'apporterait de l'espoir, tout en rendant compte de ce que j'avais vu durant mes voyages. C'est ainsi que je suis devenue marxiste. Je ne me souviens pas de tous les livres que j'ai lus durant ces semaines et ces mois d'étude, mais je me rappelle que le marxisme m'expliquait ce que j'avais vu. Parmi les différents courants marxistes, j'ai été attirée par le trotskisme, à cause de sa complexité et parce qu'il mettait, me semblait-il, l'accent sur la démocratie.

Le féminisme

Des lecteurs pourraient se demander quelle était ma position sur le féminisme. J'ai toujours été féministe, dans le sens où je n'ai jamais accepté de me conformer à la vision qu'on avait de la vie d'une femme. Dans les années 1960, je me voyais probablement davantage comme un homme que comme une femme. Au lieu de comprendre l'oppression des femmes et la discrimination dont elles étaient victimes, je pensais tout simplement être différente de la plupart des femmes. Cette position a été renforcée par le mouvement féministe qui, à ses débuts, m'apparaissait trop anti-mâle. C'est encore durant mes voyages que j'ai compris que j'étais en danger tout simplement parce que j'étais une femme

---

1. Ediciones Pioneras, Mexico, 1950.

et que, dans certains pays, les femmes étaient traitées comme des animaux. Il y avait donc quelque chose de systémique en jeu. Mais je suis devenue féministe après être devenue socialiste. Mon féminisme était alors encadré par une analyse socialiste qui affirmait que le sexisme, comme le racisme, devait être combattu parce qu'il divisait la classe ouvrière.

Si je pense aux valeurs inhérentes à mes croyances politiques d'alors et qui sont toujours au fondement de mes positions politiques, je dirais que les plus importantes sont l'égalité, un profond respect pour la démocratie participative et une grande empathie pour ceux qui souffrent.

Quand la Nouvelle gauche s'est désintégrée, je me suis jointe à un petit groupe de trotskistes qui combinaient un style de vie et les valeurs de la Nouvelle gauche avec des politiques de la vieille gauche. J'ai quitté le groupe, après une décennie de fusions et de divisions, lorsque je me suis aperçue que ses prétentions démocratiques étaient un leurre et que le groupe devenait de plus en plus sectaire. Aussitôt après mon départ, je me suis retrouvée dans le comité de coordination de la toute nouvelle Coalition ontarienne pour des cliniques d'avortement [1] et ma vie de militante féministe a commencé.

Les militants de ma génération ont lutté et remporté plusieurs victoires dans le champ social. Je n'aurais jamais imaginé, jeune fille, tout le progrès que les femmes ont par la suite accompli vers l'égalité. Je n'aurais jamais cru possibles les avancées dans la reconnaissance des droits des gais et des lesbiennes. Dans les pays capitalistes développés, la famille patriarcale, même si elle se maintient, a été profondément bouleversée. La démocratisation de l'éducation, l'amélioration du niveau de vie de la classe ouvrière, son accès aux soins de santé et aux services sociaux constituent des réalisations remarquables, même si elles sont aujourd'hui remises en question. Sur le plan politique, cependant, la gauche a échoué. Le néolibéralisme et le néoconservatisme ont globalement imposé leur hégémonie et, à

---

1. La OCAC demanda au docteur Morgentaler d'ouvrir une clinique à Toronto, se battit pour défendre l'existence de cette clinique, puis pour obtenir ultimement la légalisation de l'avortement.

l'exception de l'Amérique latine sur laquelle je reviendrai, la gauche socialiste est en lambeaux et la gauche social-démocrate a, à quelques exceptions près, embrassé le néolibéralisme. Il est insuffisant de blâmer la bureaucratisation et l'autoritarisme des sociétés socialistes, de ce que j'aurais nommé les « États ouvriers » lorsque j'étais trotskiste. Ces États sont la manifestation la plus poussée de ce que je crois l'erreur fondamentale de la gauche politique, erreur que je ramènerais à l'utilisation des outils du maître pour démanteler la maison du maître[1]. La gauche politique n'a jamais réussi à transformer son mode de fonctionnement autoritaire et patriarcal, malgré les critiques que lui adressait la Nouvelle gauche des années 1960, le féminisme et différents groupes du nouvel âge. Nous pensions, disciples du centralisme démocratique, que nous devions concentrer notre pouvoir pour combattre efficacement le pouvoir autoritaire centralisé.

La pression idéologique et politique du néolibéralisme affecte de plus en plus les partis politiques de gauche et les corrompt. Un bon exemple de cette contamination est le Nouveau parti démocratique, dont les congrès, manipulés par les dirigeants, deviennent un lieu où les conflits sont bannis pour être réglés derrière des portes closes, alors qu'ils étaient jadis l'occasion de débats réels et fructueux.

Après 40 ans de féminisme, les partis politiques, à l'exception de ceux de la Scandinavie, n'ont rompu que de façon verbale avec le patriarcat et ont été incapables d'assurer le moindrement l'égalité entre les sexes.

Même là où il y a des leaders féministes, elles doivent, pour avoir du succès, se modeler sur le leadership masculin. Le défi féministe, qui aurait pu transformer la gauche et la rendre plus efficace, n'a jamais été relevé par les partis politiques de gauche. Déjà en 1979, les féministes socialistes britanniques[2] affirmaient

---

1. L'Afro-Américaine Audre Lorde, dans *Sister Outsider* (Crossing Press, 1984), écrit merveilleusement : « Les outils du Maître ne démantèleront jamais la maison du Maître. »
2. Sheila Rowbowthan, Hilary Wainright *et al.*, *Beyond the Fragments*, Alyson Publications, 1979.

que la gauche politique devait apprendre des nouveaux mouvements sociaux, dont le mouvement féministe, et se transformer. Étant trotskiste à cette époque, je rejetais ce raisonnement... Une dizaine d'années plus tard, lors du référendum sur l'accord de Charlottetown, j'ai reconnu que ma présidence du Comité d'action nationale sur le statut des femmes relevait d'un type de leadership masculin. J'ai relu *Beyond the Fragments* dont la grande sagesse m'a encore frappée.

Les mouvements sociaux qui critiquaient l'autoritarisme, en particulier le féminisme et l'environnementalisme, n'ont jamais réussi à développer une stratégie politique ayant un réel impact dans la sphère publique. Au-delà des changements culturels ou de politiques gouvernementales, les institutions politiques sont demeurées fondamentalement les mêmes. Aussi, on peut dire que les militants de gauche de ma génération ont effectué une révolution culturelle qui pourrait, du moins je l'espère, ouvrir la voie à une plus grande transformation dans les années à venir.

L'autoritarisme et le dogmatisme

Nous avons subi d'autres échecs, dont le plus important a été notre incapacité stratégique à affronter les nouvelles réalités du néolibéralisme. Mais notre principale erreur a consisté dans notre incapacité à incorporer l'anti-autoritarisme et l'anti-dogmatisme des nouveaux courants, dont le féminisme. La gauche politique, tout en résistant de l'intérieur aux changements véhiculés par les nouveaux mouvements sociaux, s'est contentée de s'adapter de façon opportuniste, en proposant des changements de politiques gouvernementales.

De plus, notre culture organisationnelle n'encourageait pas le dialogue et le débat constructif. Ou bien une faction obtenait la victoire dans la bataille des discours, ou bien un drôle de consensus libéral s'établissait dans le silence de ceux qui étaient en désaccord.

Au Canada anglais, nous n'avons que quelques modèles d'un engagement intellectuel et politique visant réellement l'avancement des idées. Nous n'avons pas besoin de dogmes : nous avons besoin d'idées. J'ai une vision du monde qui, aujourd'hui, inclut des éléments de marxisme, de féminisme, d'anticolonialisme et de théories démocratiques, appuyés par beaucoup de sagesse qui me vient de la psychologie.

Au Canada, particulièrement dans les années 1980 et 1990, la gauche social-démocrate et la majorité de la gauche socialiste ne se sont pas résolues à appuyer inconditionnellement le droit du Québec à l'autodétermination. Cette irrésolution doit être liée à l'incapacité universelle de la gauche à établir des liens de solidarité durable avec les peuples autochtones. Cet échec a fait en sorte que la gauche social-démocrate canadienne n'a pas obtenu au Québec un appui significatif, condition pourtant essentielle pour qu'elle puisse représenter une alternative gouvernementale possible. D'autres, dans ce volume, vont sûrement aborder l'échec de la gauche à créer et à développer une solution électorale de rechange au Québec. De mon côté, je crois que l'absence d'une unité de principe entre la gauche québécoise et la gauche canadienne est une des principales raisons de notre faiblesse politique au sein de l'État canadien.

Toutes ces faiblesses et tous ces échecs relèvent du patriarcat et de l'autoritarisme des structures et du mode de fonctionnement des organisations de gauche, qui les rendent impuissantes à apprendre des autres et à développer des rapports d'égalité avec les groupes souffrant de discrimination et de marginalisation.

La pratique des gauches de mon temps visait à se différencier. Chacun de nous croyait juste la position de son groupe. Nous luttions contre les autres courants que nous jugions fondamentalement dans l'erreur, contre-révolutionnaires, réformistes, vendus, libéraux ou coupables de toute autre déviation que nous pouvions imaginer. Cette approche sectaire répétait les débats qui, au début du XXe siècle, ont opposé les multiples courants politiques au sein du mouvement ouvrier, et divisé la seconde Internationale lors de la création en Russie des organisations bolchevik et menchevik, division qui se répercuta sur l'ensemble du mouvement ouvrier international. L'émergence du maoïsme comme courant dominant du marxisme asiatique exerça, particulièrement au Québec, un fort attrait sur les jeunes militants de gauche. Ces divisions eurent une influence déterminante sur la gauche. Les jeunes militants qui, comme moi, avaient rejeté de prime abord les politiques de la vieille gauche, les ont par la suite embrassées avec une ferveur inversement proportionnelle à notre impact réel sur le monde.

Dans cette voie, tout en clamant notre opposition à toutes les manifestations du capitalisme, nous en incorporions un élément central, encore plus ancien que le système économique capitaliste lui-même : le patriarcat ou l'autoritarisme que, dans le cours de cet essai, j'utiliserai l'un pour l'autre indifféremment. Cela entraîna l'échec de presque toutes les gauches révolutionnaires qui exercèrent ici ou là le pouvoir gouvernemental. Même si la classe ouvrière et la classe paysanne obtinrent des gains importants sous ce pouvoir, les partis révolutionnaires furent incapables d'obtenir l'appui de leur propre peuple, tout en reproduisant la discrimination contre les minorités nationales. Avec l'exception, à mon avis, du gouvernement castriste, tous ces gouvernements ont échoué dans la réalisation de leurs objectifs fondamentaux. Ce sont ces échecs qui m'ont conduite à croire profondément que la démocratie, une authentique démocratie participative, le pouvoir du peuple, si vous voulez, est aujourd'hui la condition fondamentale de tout changement réel.

Bien entendu, aussitôt qu'on aborde la question de la démocratie participative, on doit aussi traiter de la question du leadership. Le leadership est important et certaines personnes sont plus douées que d'autres pour l'exercer. Je ne crois pas que le leadership soit, en lui-même, antidémocratique. Au contraire, je pense qu'un leadership imputable est un élément constitutif du processus démocratique [1]. Nous avons besoin de nouveaux modèles de

---

1. « The Tyranny of Structureless », un article écrit par Ann Freeman en 1970, demeure toujours une excellente critique des vues des premières féministes, qui affirmaient que l'absence de structure équivaut à une absence de hiérarchie.

leadership, qui iraient au-delà du modèle mâle de commandement et de contrôle encore si présent aujourd'hui. Notre défi est de développer des leaders qui, sans se retirer des responsabilités de la direction, encouragent la participation et le leadership des autres.

L'autre problème fondamental, que je connais moins et que je suis toujours en train d'étudier, est l'affirmation que la transformation du capitalisme requiert son renversement ou son élimination. Le cadre de cet essai ne me permet pas d'approfondir cette question. Cependant, l'idée simpliste qu'une transformation révolutionnaire exige l'élimination de tous les éléments du capitalisme a conduit les pays socialistes à une direction extrêmement centralisée de l'économie, ce qui n'a fait que renforcer l'autoritarisme politique. L'économie mixte pratiquée dans les pays sociaux-démocrates a échoué à structurer suffisamment l'économie pour améliorer la qualité de vie de la majorité des travailleurs et a été vulnérable aux assauts néolibéraux qui ont causé davantage de pauvreté. À l'Ouest, où les changements révolutionnaires se sont révélés impossibles, le dogmatisme anticapitaliste a engendré des programmes de gauche économiquement inefficaces.

Notre erreur fondamentale est, peut-être, d'avoir vu dans l'État l'instrument central de la transformation économique et sociale. Même s'il y a beaucoup de discours sur le pouvoir du peuple, la réalité est que la plupart des gens de gauche croient qu'ils savent mieux que le peuple ce qui est bon pour lui. Que nous abordions la planification étatique ou le travail au sein de nos propres organisations, nous n'avons pas vraiment confiance dans le peuple que nous sommes supposés servir. C'est pourquoi les attaques de la droite contre l'État « bobonne » ont été si efficaces.

Il est devenu évident que les entreprises étatiques n'étaient pas nécessairement plus démocratiques ou plus attentives aux besoins des gens que les entreprises privées. En réaction au programme néolibéral promouvant la privatisation des services publics, la gauche a défendu généralement de façon inconditionnelle ces services, sans accorder suffisamment d'attention à

la nécessité de les démocratiser. Au lieu de dépendre des bureau-
crates, ces services devraient être sous le contrôle de ceux qui y
travaillent et de ceux qui en sont les bénéficiaires.

Le mouvement d'économie sociale, en favorisant l'organisation de travailleurs dans des petites entreprises, démontre de la
créativité au niveau local. En Amérique latine, il y a actuellement
des débats importants sur l'utilisation, à des fins sociales, des profits provenant des ressources naturelles. Je suis pourtant convaincue que les modèles d'économie alternative n'ont pas les solutions
à tous les problèmes. C'est pourquoi nous devons expérimenter
une approche plus complexe et plurielle du développement économique. Même si elle était possible, la nationalisation des secteurs clés de l'économie ne serait sans doute par une solution.

Identité, différences et coalitions

Je ne veux pas terminer ce bilan plutôt négatif de la gauche
dont je suis issue en taisant ce qu'elle a fait de bien. Je vais me
concentrer sur le mouvement féministe, non seulement parce que
j'y ai été très engagée, mais parce qu'il a sans doute constitué le
mouvement social le plus puissant et le plus significatif de ma
génération. Il y a beaucoup de jugements tout faits sur le déclin
du mouvement féministe canadien. Les gens l'accusent habituellement d'avoir trop mis l'accent sur des politiques identitaires. Si
les féministes s'étaient concentrées seulement sur ce qui les unis-
saient au lieu de ce qui les divisaient, le mouvement des femmes
serait, disent-ils, demeuré fort. Il est vrai que l'alliance interclasses
du mouvement des femmes a été un facteur important de sa puissance. Le fait qu'une poignée de femmes en position de pouvoir
consacraient leur énergie à l'avancement de leurs consœurs est
l'une des raisons du succès du mouvement. Mais il est également
exact que le féminisme aurait trahi sa mission et ses objectifs s'il
avait continué de marginaliser les voix des plus pauvres et des plus
opprimées au profit des voix de celles qui sont privilégiées. De

plus, la bataille contre le racisme, qu'a annoncée le mouvement des femmes au Canada, est sans doute l'un des enjeux majeurs de notre temps. C'était notre capacité à nous unir à travers des différences de classes, de générations et d'orientations politiques, tout en maintenant des débats, qui était notre force, cette force dont la gauche était généralement dénuée. Si l'unité à travers les races était plus difficile, la faute n'incombait pas à celles qui demandaient à être entendues, mais à celles qui ont quitté le mouvement. Avec la globalisation néolibérale qui accroissait la distance entre les riches et les pauvres, le défi devenait plus grand de maintenir une même vision au sein du mouvement... La guerre contre le terrorisme et la hantise de la sécurité d'État ont encore davantage isolé les communautés déjà marginalisées par la couleur de leur peau. De plus, le retour de vague contre le féminisme et la suppression de subventions aux groupes de femmes rendaient les difficultés presque insurmontables. Dans un univers mondialisé, la capacité de gérer créativement les problèmes de différence et d'apprendre à partager le pouvoir et les ressources est essentielle à notre survie. Le mouvement des femmes canadiennes a mis beaucoup d'efforts pour trouver de nouvelles manières d'unir à travers les différences, nous ne devons pas l'oublier.

Nous avons inutilement durci nos « politiques identitaires » en nous comportant comme des « blocs au pouvoir », en oubliant que nous formions des alliances. Mais, à mon avis, cette erreur, prise isolément, n'explique pas l'écroulement du mouvement national des femmes. La cause fondamentale de celui-ci est la dépendance de plus en plus grande du mouvement des femmes, comme de l'ensemble des mouvements sociaux, envers l'État, qui lui apportait le financement, voire la crédibilité. Nous avons toujours soutenu avec raison que le gouvernement devait financer les groupes qui œuvraient à ce que les voix des personnes marginalisées soient entendues dans les coulisses du pouvoir. Au Canada, nous avons obtenu que ces fonds soient attribués pendant une trentaine d'années. Plus le néolibéralisme s'imposait, moins il y a eu de volonté politique de nourrir ceux qui pouvaient mordre : la plupart des fonds d'aide aux groupes de femmes ont été éliminés ou orientés sur des enjeux qui ne pouvaient porter aucun ombrage au gouvernement. Dans les années 1980 et 1990, plusieurs militants s'attendaient à ce que leur engagement soit rémunéré. Ce n'était pas le cas pour les gens de ma génération. Je n'ai jamais été payée pour mon travail militant, avant de devenir présidente du Comité national sur le statut de la femme au début des années 1990. Auparavant, je travaillais le jour pour gagner ma vie et je militais le soir.

L'autre raison de notre échec est la cooptation du mouvement par l'État. Au début, le mouvement des femmes consacrait son énergie à l'organisation sur le terrain[1]. Au fur et à mesure que le mouvement s'est amplifié et qu'il a obtenu des changements aux lois, il s'est de plus en plus orienté vers les transformations légales. L'organisation sur le terrain nous donnait une marge de manœuvre, mais nous étions capables de nous réclamer d'un appui plus large que celui que nous avions, parce que nous obtenions une sympathie générale parmi les femmes, y compris dans les coulisses du pouvoir. La crédibilité du mouvement dépendait de plus en plus de l'étendue du pouvoir que lui reconnaissait le gouvernement. Les mouvements sociaux de ma génération ont participé à ces jeux de pouvoir, que nous devons maintenant éviter, depuis que les gouvernements, particulièrement ceux de droite, ont appris à ignorer les forces avec lesquelles ils sont en désaccord. Pendant que Mike Harris était premier ministre de l'Ontario[2], les tactiques habituelles du mouvement ouvrier et du mouvement des femmes (lobby et, si ça ne fonctionne pas, manifestation dans les rues, puis retour au lobby) ont globalement échoué. Nous avons généralement été incapables de recourir efficacement à de nouvelles stratégies. Le résultat a été une démobilisation radicale des puissants mouvements sociaux, dont le mouvement des femmes. De plus, l'important secteur du mouvement des femmes qui offrait des services était de plus en plus soumis à des pressions : dans la plupart des cas, il a dû se retirer des batailles juridiques et se professionnaliser pour continuer à recevoir du financement. Plusieurs organisations de femmes sont

1. Voir mon livre *Ten Thousand Roses : The Making of a Feminist Revolution* (Penguin, 2005) pour un historique du mouvement des femmes au Canada.
2. 1995-2000.

devenues moins radicales, ressemblant de plus en plus aux autres services qui mettent des pansements sur les problèmes sociaux au lieu de s'attaquer à leurs causes. De fait, la cooptation du mouvement des femmes au Canada est un exemple historique parfait de la façon dont le pouvoir hégémonique manœuvre pour coopter un mouvement contre-hégémonique.

Quelques années après le déclin des mouvements sociaux, dont celui des femmes, nous avons assisté à la montée des mouvements altermondialistes, particulièrement à Seattle et dans la ville de Québec. De jeunes femmes, attirées par le radicalisme, se sont engagées dans ces mouvements, plutôt que dans celui des femmes. Dans son livre à succès *No Logo*[1], Naomi Klein propose de rejeter la politique identitaire radicale ayant dominé les groupes féministes sur les campus durant les années 1990. La génération altermondialiste a évité certaines erreurs des générations précédentes, dont l'autoritarisme et le sectarisme. Cependant, au Canada anglais du moins, leur idéologie s'est définie un peu trop dans le sens contraire aux politiques identitaires. La jeune génération a été incapable de résoudre ses différends et certaines des organisations les plus importantes, dont le Mob4Glob de Toronto, se sont disloquées sous la pression des divergences. L'émergence au Canada du mouvement antiguerre, le 15 novembre 2003, a également été significatif. À Toronto et à Vancouver, cette manifestation a été la plus courue depuis plusieurs années. Cependant, à l'exception du Québec, la participation au mouvement contre la guerre a décliné aussitôt que la guerre a été déclarée. Aujourd'hui, même si subsistent beaucoup d'activités militantes sur les campus et ailleurs, il n'existe plus de larges mouvements sociaux comme celui qu'a constitué le mouvement des femmes.

Le mouvement ouvrier au Canada anglais est aujourd'hui dans l'impasse face au néolibéralisme, mais, contrairement au mouvement ouvrier américain, il a été capable de se transformer pour répondre aux défis que lui posaient les nouveaux mouvements sociaux des années 1960. Le mouvement ouvrier au

1. Ed. Knoff, Toronto, 2000.

Canada anglais et au Québec est celui qui, dans le monde, a probablement le mieux répondu aux demandes des féministes. Le mouvement ouvrier a non seulement adopté des politiques féministes exigeantes, il a aussi appuyé des politiques ne concernant pas l'organisation du travail, dont le droit à l'avortement, et promu parmi ses leaders une bonne proportion de femmes. Cependant, comme d'autres organisations de la gauche, il a été incapable de transformer la vieille structure patriarcale et a maintenu le réseau de mâles qui reproduit le *statu quo*, alors que la situation requérait une profonde transformation des syndicats pour contrer la réorganisation du travail sous le néolibéralisme.

Nous devons examiner les coalitions entre mouvements sociaux établies dans les années 1980 et 1990 au Canada anglais. Peut-être à cause de la faiblesse de la gauche politique au Canada, le mouvement ouvrier canadien, bien davantage que celui d'Europe, a établi des alliances solides avec les nouveaux mouvements sociaux. Dans la continuité des alliances créées par les socialistes féministes dans et hors du mouvement ouvrier dans les années 1970, les années 1980 ont connu l'émergence d'une importante coalition contre le traité de libre-échange (ALE) avec les États-Unis. Le réseau Pro Canada, nommé plus tard Action Canada, réunissait presque tous les mouvements et organisations progressistes du temps, y compris des syndicats, des organisations de femmes, des Églises, des groupes environnementaux, des groupes autochtones, des organisations étudiantes, des groupes nationalistes et des groupes d'artistes. Ce réseau travaillait avec une coalition québécoise poursuivant des objectifs semblables. Il est important de bien examiner ce réseau, avec ses forces et ses faiblesses, car il a sans doute été le réseau intersectoriel et pancanadien le plus important de notre histoire. L'Action Canada Network et les organisations qu'elle chapeautait ont réussi à renverser l'opinion publique et à obtenir l'appui de la majorité de la population contre le traité de libre-échange. Dans l'actuel environnement médiatique, cette victoire serait sans doute impossible. Mais dans les années 1980, les médias du Canada anglais, et spécialement la CBC et le *Globe and Mail*, prenaient au sérieux le mouvement d'opposition au traité de libre-échange.

Les propos d'orateurs talentueux comme Bob White, Maude Barlow et Marjorie Cohen [1] étaient cités quotidiennement sur les dangers que comportait le libre-échange avec les États-Unis, pour le travail, les services sociaux et la souveraineté canadienne. Mais notre système électoral antidémocratique a permis la victoire des conservateurs qui appuyaient le libre-échange, tandis que les libéraux et les néodémocrates, qui s'y opposaient, n'ont réussi qu'à diviser le vote majoritaire des opposants au libre-échange. Nous avions réussi à transformer les élections de 1988 en un référendum virtuel sur le libre-échange : cet enjeu a pris une place déterminante durant la campagne électorale. Cette coalition, la plus importante de l'histoire canadienne, reflète les forces et les faiblesses de la gauche de cette époque. Des questions de rapports de forces étaient souvent soulevées par le mouvement ouvrier, qui finançait les opérations et, parfois, l'alimentait de ses membres. Trop souvent, la coalition fonctionnait grâce à des compromis entre les élites et à des négociations secrètes parmi les groupes. Cependant, de larges assemblées se sont tenues qui relevaient d'une certaine démarche démocratique. L'unité de base du réseau a commencé à se disloquer lorsque la bataille contre le libre-échange a échoué lors des élections de 1988. Le réseau Action Canada s'est maintenu pour combattre l'ALENA et la taxe à la consommation, mais sans retrouver la vigueur dont il avait fait preuve dans sa lutte contre l'ALE. Peut-être pouvons-nous mesurer son déclin en prenant conscience de l'impact qu'a eu le libre-échange sur le Canada depuis l'accord.

Enfin, avant d'aborder la question de l'avenir, j'aimerais regarder les transformations de l'univers médiatique durant les 20 dernières années, transformations qui, au Canada anglais, ont considérablement réduit la couverture dont jouissaient la gauche et les groupes progressistes dans les médias. Au Canada, la concentration des médias entre quelques mains dépasse tout

1. Bob White était le président du Conseil du travail du Canada (CTC) ; Maude Barlow était la porte-parole du Conseil des Canadiens ; Marjorie Griffin Cohen était la vice-présidente du Comité d'action nationale sur le statut des femmes et avait publié un livre sur l'impact du libre-échange sur les services (*Free Trade and the Future of Women's Work*, Garamond Press, 1967).

ce qui existe ailleurs. Le néolibéralisme a affecté les médias de différentes manières [1], entre autres en les ramenant à d'anciennes pratiques. Il y a eu aussi des changements d'ordre idéologique, dont la suppression du poste de reporter syndical et l'extension de la section consacrée aux affaires. Finalement, le contrôle de Conrad Black sur la chaîne de publications Southam et la création du *National Post* entraînèrent les médias canadiens vers la droite, non seulement par le monopole que Black exerçait sur la plupart des quotidiens et des hebdomadaires du pays, mais aussi par l'influence du *Post* sur le *Globe and Mail* et la CBC. La légitimité des porte-parole des mouvements sociaux était de plus en plus contestée par les pouvoirs médiatiques. Il est difficile de dire si la marginalisation médiatique des mouvements sociaux a précédé la marginalisation politique de ces mouvements, ou vice-versa. Ces deux marginalisations se sont alimentées l'une l'autre dans un cercle vicieux. Le développement d'Internet et la croissance des médias alternatifs ont fait beaucoup pour combattre le bannissement des nouvelles et des idées de la gauche par les médias, mais ils ne rejoignent pas encore un nombre suffisant de gens pour contrer la marginalisation.

L'avenir

Les structures patriarcales et autoritaires ont permis d'obtenir des réformes au sein du système capitaliste, et c'est une des raisons pour lesquelles il est si difficile de s'en défaire. Ainsi, dans le mouvement ouvrier, la négociation collective exige, de par sa nature même, un système hiérarchique de prise de décisions par lequel le pouvoir est concentré au sommet. Dans la mesure où le néolibéralisme semble n'accorder aucun gain au mouvement ouvrier et rend ainsi obsolètes les vieilles façons de faire, nous n'avons sans doute pas grand-chose à perdre en essayant de nouvelles façons de pratiquer le syndicalisme.

1. Lire l'excellente analyse de Robert McChesney (*Rich Media, Poor Democracy*, University of Illinois Press, 1999) pour comprendre l'impact antidémocratique du néolibéralisme sur les médias.

Il peut sembler bizarre que, maintenant dans la soixantaine, je revienne au radicalisme de mes 20 ans. J'ai toujours considéré foncièrement injuste le système capitaliste et pensé que nous avions besoin d'une transformation profonde à tous les niveaux de la société. Je n'ai jamais voulu me limiter à de petites réformes. Pourtant, je n'ai fait que cela la plus grande partie de ma vie. Mon énergie a été consacrée à changer le monde un petit bout à la fois, que ce soit dans le mouvement prochoix, le mouvement des femmes ou le mouvement antiguerre. Je n'ai aucun regret. Mais je suis arrivée à une étape de ma vie où je veux m'orienter vers des changements profonds et fondamentaux, non pas dans le sens restreint que lui accordait le trotskisme de ma jeunesse, mais dans un sens large et ouvert à de multiples dimensions. Le capitalisme est seulement un des systèmes de domination qui engendrent l'injustice et la souffrance dans le monde. La domination et la soumission, la supériorité et l'infériorité, le bon et le mauvais ne se réduisent pas à un seul système. Tout cela relève de l'idée qu'un groupe de personnes serait, d'une façon ou d'une autre, meilleur qu'un autre et aurait droit pour cela à plus d'argent, plus de confort, plus d'amour, etc. Évidemment, l'idée d'égalité est à la base de la philosophie socialiste. Chacun de nous peut être un poète et un travailleur chaque jour de sa vie : cette proposition résume l'utopie égalitaire de Marx. Mais nous avons rarement pratiqué ce que nous prêchions.

Cette incohérence s'explique : nous croyions que nous devions utiliser les moyens et les méthodes de la classe dominante durant la phase de transition vers le communisme. Mais, plus profondément encore, nous subissions l'hégémonie de la culture dominante. Je suis de plus en plus convaincue que si nous utilisons la domination et la violence pour apporter des changements, nous devenons semblables à ce que nous combattons. Aussi, pour réaliser les changements que nous préconisons, nous devons extirper la domination et la violence de notre vie et de la pratique de nos organisations. Il n'y a rien de nouveau dans ces idées. Elles étaient à l'origine du mouvement des femmes et sont maintenant répandues parmi les jeunes militants. Comment intégrer ces idées dans une stratégie politique qui permettrait de sauver la culture alternative de sa marginalisation ? Comment ces idées peuvent-elles rejoindre les désirs des grandes masses qui souffrent intensément de leur aliénation et du sentiment de vide dans leur vie ?

Ma génération déterminait sa stratégie en insistant sur les différences : je pense que nous devons maintenant viser la convergence. Nous devons chercher des idées et des pratiques qui nous font avancer dans les sphères politiques, sociales, environnementales, culturelles et même spirituelles. Nous devons viser des changements, non seulement politiques et économiques, mais aussi culturels et institutionnels. Surtout, nous devons lier ensemble ces changements. Je ne dis pas que nous devons nous débarrasser de nos idées radicales, mais plutôt que nous devons ouvrir nos esprits et nos cœurs aux connaissances et à la sagesse de ce qui est extérieur à ce qu'a généralement été la gauche traditionnelle.

Durant un récent séjour en Bolivie, j'ai été frappée par l'approche du Mouvement vers le socialisme (MAS). Enraciné dans des traditions séculaires de socialisme communautaire et de réciprocité avec la terre, traditions conjuguées aux luttes autochtones et à un militantisme syndical radical, le MAS a pris le pouvoir, il y a peu, sous la direction d'Evo Morales. Le MAS promeut une révolution pacifique menée par des organisations sociales. Le MAS n'est pas un parti politique traditionnel ; il s'affiche plutôt comme l'instrument politique des organisations sociales. À ma demande, Evo Morales m'a expliqué la philosophie de son mouvement :

> Les populations indigènes ont historiquement vécu dans des communautés, des collectivités, en privilégiant en tant qu'êtres humains l'harmonie des uns avec les autres, mais aussi l'harmonie avec la terre-mère et la nature : nous devons recréer cette harmonie. Le modèle d'industrialisation néolibérale promu par l'Occident, qui contrevient à l'égalité, à la justice et à l'humanité, est en train de détruire la planète qui est pour moi la grande Pachamama [la déesse suprême du peuple Aymara/Quechua, le peuple indigène le plus important de la Bolivie]. Le modèle qui concentre le capital dans les mains de quelques-uns, ce modèle néolibéral, ce modèle

capitaliste, est en train de détruire la planète. Ce modèle conduit à la destruction de l'humanité. Il peut vraiment causer cette destruction. En Bolivie, nous pouvons apporter notre modeste contribution en vue de sauver la vie, de sauver l'humanité. C'est notre responsabilité.

Remarquons comment Morales relie les luttes pour la justice sociale aux luttes pour la protection de l'environnement et aux luttes pour la défense de l'humanité, tout en les enracinant dans les traditions des peuples indigènes. C'est cette intégration d'idées et de mouvements antérieurement séparés qui a permis au MAS de développer sa force et d'accroître, dans une certaine mesure, sa popularité.

Dans leur livre *Multitude*, les visionnaires Anthony Hart et Antonio Negri insistent sur ce qui est « commun », sur les éléments partagés par la multitude, les divers peuples et les divers mouvements luttant, de par le monde, pour des changements.

Beaucoup d'environnementalistes de ma connaissance sont persuadés qu'un cataclysme environnemental s'en vient. Qu'on partage ou non ces prévisions catastrophiques, de plus en plus de gens sont convaincus qu'on ne doit pas isoler les préoccupations environnementales des autres préoccupations. Nous sommes de plus en plus conscients que la question environnementale est liée à celle de justice sociale. Lors d'un récent séminaire, j'ai entendu un jeune militant affirmer que l'enjeu environnemental était le plus important, tandis qu'un militant plus âgé critiquait l'ignorance de trop d'écologistes des questions de classes et de justice sociale. C'était un débat stupide. La destruction environnementale et l'injustice sociale et politique ont les mêmes causes. Nos systèmes de domination détruisent l'environnement et créent de l'injustice, de l'inégalité et de grandes souffrances parmi les peuples : il faut porter attention à ces systèmes et s'attaquer à leurs racines.

Le chrétien Van Jones, qui milite en faveur des prisonniers aux États-Unis, affirme que les leaders de la prochaine génération vont promouvoir la convergence entre les mouvements. Je pense qu'il a raison.

Lors du Forum social mondial de 2002, j'ai été entraînée dans un atelier sur la spiritualité. Un bouddhiste, un ancien marxiste qui se nomme maintenant Siddhartha, y disait : « La situation mondiale est trop grave pour nous laisser diviser par des différences idéologiques ou des oppositions d'*ego*. Nous devons nous concentrer sur ce qui nous unit. » Évidemment, l'unité doit être recherchée, tout en valorisant la diversité. Nous ne devons pas oublier ce que nous ont enseigné les mouvements féministes et antiracistes : l'unité aux dépens de la diversité conduit à l'autoritarisme du groupe dominant, tandis que la diversité sans l'unité nous affaiblit et nous rend inefficaces. C'est pourquoi la recherche de ce qu'il y a de commun dans un contexte de si grande diversité est essentielle. Pour ce faire, nous devons non seulement embrasser les idées les plus efficaces de toute la gauche connue, mais aussi envisager celles de la gauche à venir.

La manifestation massive du 15 février 2003 contre la guerre en Irak a démontré, pour un bref moment, le grand pouvoir potentiel de transformation sociale de ce type de mouvement mondial.

Eliana Cielo

Une perspective latino-américaine de la révolution

Eliana Cielo est une militante de l'éducation populaire qui a fait son chemin depuis le Chili jusqu'au Québec. Elle a fait des études en journalisme au Chili (interrompues par le coup d'État), puis une scolarité de maîtrise à l'Université de Montréal, suivie d'un baccalauréat en travail social à l'UQAM. Elle a effectué plusieurs voyages et séjours de formation en Amérique latine, en Europe, ainsi que dans des pays de l'ancienne Union soviétique. Elle fait actuellement partie du Comité chilien pour les droits humains et elle est membre de la Ligue des droits et libertés. Ses propos ont été recueillis, traduits en partie et commentés par Marie-Christine Doran, docteure en sciences politiques ayant fait de nombreux séjours de recherche participative en Amérique latine. ∎

Expériences, courants, valeurs, convictions

Le parcours m'ayant menée à la politisation

BON, JE SUIS MILITANTE. Depuis toujours. Mais je continue mon évolution ! Quand j'ai commencé, je luttais pour la dignité de la personne, mais à partir de revendications très concrètes, comme l'école ou l'électricité. J'ai ensuite appris à reconnaître ce sentiment : être dominée, exploitée, et, dans un processus de réflexion, d'expérience et de formation, j'ai compris que c'est vraiment l'engagement pour la lutte des droits humains, pour l'humanisation, qui peut changer les choses… Parce que vraiment, il est bien déshumanisé, ce monde !

En reparlant avec des amis engagés, autour de luttes pour les droits et pour l'écologie, nous repensons souvent à l'expérience de nos débuts au Chili et nous nous demandons pourquoi tant de gens, engagés chez nous, ont disparu des milieux d'implication une fois rendus ici, au Québec. Pourquoi certains d'entre nous continuent-ils et d'autres non ?

La mémoire orale des injustices et l'organisation : facteurs de conscientisation et de politisation

Parmi les facteurs qui expliquent mon engagement durable et mon cheminement, il y a d'abord l'influence de mon milieu et de ma famille ; on y parlait constamment des injustices, après avoir subi l'injustice de gens malhonnêtes et avoir dû partir de la campagne, dans le Norte Chico, pour venir à la ville de Viña del Mar. Mes parents étaient porteurs de valeurs chrétiennes mais, attention ! ils n'étaient pas soumis à la religion. Nous étions très sensibles à l'injustice et à la pauvreté. Pour nous, les riches étaient des gens qui commettaient beaucoup d'injustices : je connaissais l'injustice « en carne y hueso », en « chair et en os », pas par les livres… Tout ce que je comprenais à ce moment-là passait par cette expérience de l'injustice, par cette conscience de classe, par la conscience des travailleurs. Le 1er mai, on manifestait : j'ai commencé sur les épaules de mon père ! On valorisait beaucoup les travailleurs, le travail. Mon père disait : « Regardez, les travailleurs sont capables de tout : ils peuvent construire des maisons, etc., et c'est injuste qu'ils vivent comme cela, dans ces conditions. » Cette façon de voir était très répandue au Chili. Mon père n'était pas partisan ; il nous racontait l'histoire à sa manière et, d'ailleurs, j'ai su que certaines choses ne s'étaient pas passées exactement comme il les racontait ! Il y avait aussi beaucoup de gens qui venaient des *salitreras*, ces grandes mines de salpêtre du désert d'Atacama (au nord du Chili), et qui racontaient des histoires de lutte des travailleurs. À cette époque, la communication et la transmission de la culture de la lutte étaient surtout orales. Encore aujourd'hui, les Chiliens racontent avec beaucoup d'imagination, y compris leurs expériences révolutionnaires, où ils sont toujours de grands protagonistes, n'est-ce-pas ? ! (rires) Comme autre facteur fondamental, il y avait aussi une pratique de l'organisation. Dans nos quartiers pauvres, la réalité nous mettait face à une lutte constante pour des choses très concrètes : il fallait s'organiser, se responsabiliser pour résoudre les problèmes, entre familles, entre voisins [1]. Même s'il y avait beaucoup de chicanes entre voisins, lorsqu'il y avait un problème, il fallait le résoudre dans un esprit de solidarité. C'est ainsi que dans notre quartier, on disait : « Il n'y a rien ici que nous n'ayons obtenu sans lutter, aucune lumière dans les rues, aucun morceau de pavé. » Même les enfants participaient et luttaient beaucoup. Cette lutte semblait aller de soi, elle n'impliquait pas encore une conscience politique, même si elle mettait en œuvre un processus de politisation, qui a aussi été le mien.

Importance d'orientations particulières dans l'éducation primaire

Je me rappelle que j'ai compris un petit peu la politique en 1938, avec le gouvernement du Frente Popular. Le président du Chili, Pedro Aguirre Cerda, était très aimé, car c'est sous son gouvernement que l'école publique a été implantée dans nos quartiers populaires. L'école a été un élément qui m'a beaucoup aidée dans mon processus de politisation. On parle du problème du décrochage ici au Québec et je comprends combien j'ai eu de bons professeurs : on n'avait rien pour apprendre, mais nos professeurs prenaient même la responsabilité d'aller nous chercher à la maison, de nous faire participer. Ensuite, je suis allée à l'école chez les sœurs et même si je n'ai pas beaucoup aimé la religion

---

1. [ndt] Dans les quartiers populaires du Chili, que l'on appelle les *poblaciones*, l'expression *los vecinos* (les voisins) désigne tous les habitants du quartier, qu'on nomme aussi les *pobladores*, plutôt que les seuls voisins immédiats. L'appartenance à une *población* institue une frontière sociale très marquée et entraîne une discrimination qui nuit aux gens, par exemple dans leur recherche d'emploi, encore aujourd'hui.

– car chez moi, il y avait une forme de religion très libre, une culture religieuse de la Vierge Marie – ce passage chez les sœurs a été très bon, parce que cela m'a enseigné la discipline et l'ordre, valeurs qui n'étaient pas transmises dans mon quartier et qui aidaient beaucoup. Chez les sœurs, on nous encourageait aussi à parler en public, on nous disait : « Il faut écrire, communiquer. » Je reconnais leur apport, même si les sœurs nous faisaient prier contre la Russie, profitant du fait que personne parmi les enfants ne savait ce qu'était la Russie, ni être communiste, ni être socialiste !

Mon père, qui était autodidacte, nous encourageait aussi beaucoup à apprendre. L'école primaire a été pour moi un facteur de conscientisation et d'émancipation, et c'est pourquoi j'ai voulu aller à l'école secondaire. Cependant, à cette époque, il n'y avait pas de secondaire : il n'y avait que l'Institut commercial. Alors ma mère est allée parler au professeur de cet Institut et ce dernier a répondu : « D'accord, on la prend, mais il n'y a pas de chaise pour elle ! » Même dans ce domaine, on luttait encore ! Cette éducation laïque, après deux ans d'éducation religieuse, était axée sur l'apprentissage de la citoyenneté. Les professeurs étaient très sensibles au fait que plusieurs étudiants étaient très pauvres et ils nous encourageaient beaucoup, nous motivaient à découvrir notre pays. Après j'ai compris pourquoi le mouvement syndical était si fort chez les professeurs : la plupart de ceux qui venaient dans notre quartier étaient de véritables éducateurs, des travailleurs sociaux, de vrais militants de l'éducation. Beaucoup plus tard, j'ai su qu'ils étaient aussi militants socialistes et communistes, mais c'est d'abord par leur travail politique d'éducation, de solidarité et de service envers nous, les étudiants pauvres, que j'ai commencé à comprendre ce qu'était la politique. On parle ici de la fin des années 1940 et du début des années 1950. En comparant ce qu'on faisait alors avec l'éducation d'aujourd'hui, tant au Québec qu'au Chili, je me rends compte qu'on lisait beaucoup. On lisait surtout la littérature nationale, chilienne, et on discutait à l'école de nos lectures. On nous obligeait aussi à parler en public, à bien parler, même si on était pauvres. Et puis, le travail scolaire n'était pas présenté comme une punition, mais comme un accès à un savoir, à une prise de pouvoir. C'était présenté de façon très enthousiasmante. À la fin du secondaire, même si nous, les étudiants, étions mobilisés pour des revendications et que nous luttions déjà, je ne connaissais toujours pas la politique, car ces luttes restaient encore sectorielles.

Les voies du changement

Action culturelle et civique : notre propre capacité à conscientiser...

En sortant du secondaire, j'avais l'idée d'enseigner, parce que j'avais suivi des cours d'éducation civique dont je voulais faire partager le contenu aux gens de mon quartier. Le monde pour moi se résumait à nos quartiers : nous appelions le nôtre « Santa Inès el glorioso » (le glorieux quartier de sainte Agnès). Avec des amis, nous nous sommes dit : « Mais pourquoi ne pas fonder un Centre culturel, où nous pourrions donner des cours d'éducation civique aux enfants ? Pourquoi ne faisons-nous pas, *nous* aussi, un travail culturel dans un centre que nous créerions ? » Il n'y avait alors rien pour nous (les pauvres), hormis des clubs sportifs... Nous avons commencé à faire du théâtre et à raconter des histoires. Les gens nous aimaient beaucoup. Notre théâtre enthousiasmait beaucoup de jeunes et, parmi ces derniers, il y avait bien sûr quelques voleurs, mais comme c'étaient aussi des *vecinos*, des voisins, alors nous avons commencé à nous rendre en prison, à présenter des spectacles à nos voisins prisonniers pour les conscientiser eux-aussi, pour les faire sortir de là. Ce travail d'action culturelle a été radicalisé par l'arrivée dans notre paroisse d'un prêtre qui venait... des États-Unis [1] (rires) et qui, d'ailleurs, a fini par marier une Chilienne ! Il est venu nous trouver, au

---

1. [ndt] Pour référence, on peut voir le film chilien *Mon ami Machuca*, gagnant du Festival du film de Vancouver en 2005, qui montre la présence de prêtres missionnaires étrangers au Chili avant le coup d'État et l'influence progressiste d'une partie d'entre eux sur la société chilienne, depuis toujours extrêmement segmentée entre riches et pauvres.

centre culturel, et nous a dit : « Voyons ensemble pourquoi les gens sont si pauvres ici, pourquoi la charité n'est pas suffisante. » Il a alors écrit une lettre à tous les gens du quartier qui espéraient obtenir quelque chose de la paroisse. C'était plutôt une parole qui valorisait leurs capacités d'agir : « Chacun de vous peut faire plus de dix fois ce qu'il pense pouvoir faire. » « Vous pouvez ! » répétait-il constamment. « Il faut se mettre ensemble, travailler ensemble. » Ça changeait radicalement du « vous êtes pauvres et donc incapables » que l'on entendait d'habitude ! Nous avons alors mis en place un système d'achat de marchandises en commun, pour faire baisser les prix. Parfois, il disait en pleine messe – et alors les uns riaient et les autres, plus religieux, se scandalisaient : « Bon, je voudrais vous dire, mes chers paroissiens, que les fèves (*porotos*) sont arrivées aujourd'hui et qu'on peut les avoir pas cher ! » Ce prêtre a aussi renié le mépris que les prêtres précédents manifestaient envers les divertissements de nos quartiers (danses, fêtes, etc.). Avec son appui et celui de la population, nous avons réussi à convaincre des étudiants en architecture et en travail social de nous aider à concevoir une bâtisse pour nos activités. Puis, nous avons créé un fonds communautaire (dont j'ai été secrétaire) et avons convaincu des voisins de venir travailler à sa construction. Ce centre, dont notre groupe d'action culturelle était chargé, permettait de présenter nos activités, de faire nos réunions...

On a ensuite fondé une coopérative d'épargne. Les gens n'y croyaient pas. Ils disaient : « Quelle épargne ? On n'a rien ! » Mais avec l'aide de gens très progressistes, on a étudié l'économie et donné des formations sur le sujet. Cette formation avait aussi un objectif beaucoup plus large : elle visait à faire de tous les participants des dirigeants. C'était le but de cette formation : donner confiance aux gens pour parler en public et leur apprendre à structurer une réunion à partir d'objectifs. Et le mouvement coopératif s'est répandu très rapidement dans la région, à partir d'expériences de nos quartiers, où étaient formés des agents de formation chargés d'aller fonder des coopératives dans d'autres milieux. Nous étions alors invités à la radio pour diffuser les expériences du quartier. Cette expérience nous a surtout permis d'implanter la fierté du quartier. Face à ceux qui nous méprisaient, les *vecinos* disaient : « Nous avons réussi à faire telle chose, telle chose… » Cette coopérative, devenue l'une des plus grandes du Chili, est aujourd'hui inféodée aux nouvelles lois chiliennes sur les sociétés.

Pourtant, comme je vous l'ai déjà dit, je ne connaissais pas encore la politique, je ne pouvais pas en parler dans mon milieu.

Changer le monde : une nouvelle perspective

Apports de la lutte pour les droits des travailleurs au sein de mouvements catholiques organisés (JOC)

Comme chrétiens, nous étions assez éloignés de la religion de l'Église traditionnelle. Ce prêtre nous a fait connaître la Jeunesse ouvrière catholique, la JOC, qui lutte pour les droits des travailleurs. Cette expérience m'a marquée profondément, en me donnant de nouvelles perspectives de lutte. Je sais qu'avant cette étape, nous avions fait de bonnes choses, mais la JOC nous a donné une vision de « dignité » du monde, une vision de transformation, qui nous faisait mesurer les rapports de domination auxquels les travailleurs étaient soumis. La JOC insistait beaucoup sur la dignité des travailleurs, combattant la culture de domination qui faisait que les gens, se sentant inférieurs, pensaient : « Les riches eux, ont la connaissance : ils savent (comment faire) et nous, nous ne savons pas. » Opposée à cet esprit de soumission, la JOC formait des militants, rendait les gens capables de *faire*. À nous, du centre culturel, les militants de la JOC ont dit : « Vous avez beaucoup d'énergie, vous êtes capables de rejoindre beaucoup de monde, mais les gens vous suivent, *vous*. Il faut, au contraire, que les gens suivent leur propre moteur, si vous voulez être vraiment des éducateurs de votre peuple. » Le discours jociste était porté par une mystique très forte : il faut *changer* le monde. Et c'est ainsi que m'est venue l'idée, à moi aussi, de changer le monde ! (rires) Avant la JOC, je n'y pensais pas du tout ! Je ne pensais qu'à changer certains aspects concrets de ce monde. Ce que je veux dire par l'« aspect mystique » de la JOC, c'était qu'il y avait une mystique de l'être humain, l'idée profonde, à partir du message chrétien, d'une égalité absolue entre les gens. On ne considérait jamais les pauvres comme inférieurs, moins capables. On disait : « C'est à cause de la pauvreté qu'ils ont été plongés dans l'ignorance, qu'il y a des problèmes sociaux, mais nous sommes tous frères. » Cette conviction profonde d'être des égaux donnait le courage aux travailleurs d'oser s'opposer aux patrons, aux riches. Toute la formation de la JOC insistait sur cette valeur d'égalité, sur l'égalité des droits pour tous. Il y avait des chansons qui magnifiaient cette égalité et cette dignité de tous les êtres humains. Il y avait véritablement une mystique, mais en même temps – et c'est ce que je n'oublie pas et je pense que c'est ce dont on doit tirer un enseignement aujourd'hui – il y avait cette idée fondamentale d'organiser le peuple : si toutes les luttes des travailleurs convergent, c'est parce qu'il y a une injustice fondamentale. Certes, on ne parlait pas de luttes de classe, mais cette mystique du peuple des travailleurs était un moteur formidable d'action dans tous les domaines des droits : l'éducation, la santé, etc.

Cette lutte pour les droits des travailleurs requérait des éducateurs à l'usine, en industrie. Alors beaucoup de gens qui, comme moi, travaillaient dans un bureau, ont laissé le bureau pour partir à l'usine (rires) : c'était l'époque des prêtres ouvriers. C'était très intéressant, mais très difficile aussi, parce que les travailleurs d'usine étaient parfois très rudes. C'était un milieu très dur, rempli de rivalités individuelles, de rancœurs, de chicanes entre les ouvriers. Mais, le soir, les différents militants d'éducation en usine se réunissaient et discutaient, très enthousiastes... En même temps, ces militants de la JOC disaient quelque chose de très important, toujours valable aujourd'hui : « C'est très difficile d'être militant en usine, parce que les riches repèrent tout de suite ceux qui ont des capacités et vont essayer de les acheter. Faites toujours attention aux éloges ; faites attention aux ambitions personnelles. Restons loyaux à nos objectifs. » C'était une pensée très chrétienne, un peu moralisatrice, mais en même temps très lucide. La religion progressiste, le militantisme ouvrier chrétien a apporté, à moi et à d'autres aussi, des valeurs et un point de repère pour ne pas perdre l'esprit du service du peuple. Il me semble que la gauche en profiterait si elle assumait davantage ces valeurs.

La pratique d'éducation populaire en usine : créativité et émancipation

Ces valeurs nous poussaient à résister, à persévérer, à obtenir des résultats dans la lutte, même si, moi, j'ai souvent été critiquée pour mon impatience ! On était préparés à amener, en milieu ouvrier, des sujets de conversation qui entraînaient les gens au-delà de leurs chicanes et rivalités personnelles, au-delà de leurs revendications individuelles et immédiates. Ces sujets étaient introduits par des histoires, des blagues, des récits de livres. Cela faisait partie de notre travail d'organisation... Et dans le milieu syndical, il fallait faire preuve d'imagination : le changement révolutionnaire ne pouvait pas être triste ! On organisait des promenades, des sorties, des activités culturelles et on présentait des pièces de théâtre. Les gens aimaient beaucoup ça, parce qu'ils y participaient. Au cœur de ces pratiques culturelles, il y avait une formation. Certes, on ne priait pas beaucoup, mais aimer les gens consistait à découvrir leurs valeurs et leurs problèmes et, en même temps, leur faire voir les choses positives. Sans cesse, on mesurait la profondeur de l'ignorance et de la pauvreté, mais on était préparés à dénicher et à développer dans chaque personne les valeurs d'émancipation.

Les patrons ont voulu me recruter pour un poste plus élevé, mais j'ai refusé. J'ai alors été mise en contact avec le travail effectué par la Centrale unique des travailleurs, la CUT. J'ai élargi ma vision des choses, commencé à comprendre la dimension globale des problèmes des ouvriers et, en même temps, j'ai connu des militants du parti communiste et du parti socialiste : j'ai commencé à les *reconnaître*. Dans ce milieu, il y avait des militants chrétiens appartenant à la démocratie chrétienne : c'étaient des *amarillos* (jaunes), voulant empêcher les conflits avec les patrons (ce qui n'était pas le cas des militants démocrates-chrétiens de mon quartier). Ces démocrates-chrétiens n'étaient pas solidaires des autres. C'était la différence que je voyais entre eux et les communistes : ils ne pensaient qu'à résoudre leurs propres problèmes de manière corporatiste et, surtout, ne s'intéressaient pas aux problèmes de solidarité ouvrière internationale. La JOC n'était pas proche de la démocratie chrétienne, mais cette dernière était très habile pour récupérer à son compte le travail de la JOC, comme je l'ai compris plus tard. Nous combattions aussi fortement certaines tendances chrétiennes qui tentaient, par tous les moyens, de diviser le mouvement syndical. C'était une lutte intense, parce qu'il est relativement facile de détourner vers la voie conservatrice des chrétiens qui croient à la paix et à la foi... Nous étions par contre proches des militants chrétiens du Brésil, qui étaient très forts en éducation populaire [1]. Après avoir de nouveau refusé un poste en usine et été mise à pied, j'ai travaillé pour la JOC aux niveaux régional et national. Je regrette la disparition de ces types d'organisations d'envergure qui permettaient des rencontres constantes entre les quartiers, les villes et les régions, et où l'on pouvait réfléchir à la situation ouvrière, aux solutions à

1. [ndt] La méthode de la « pédagogie des opprimés », méthode d'alphabétisation inventée par le maître d'école et militant chrétien Paulo Freire, connaît au début des années 1960 un succès et une résonance fulgurante au Brésil, puis en Amérique latine et en Afrique. Cette méthode de conscientisation, fondée sur des discussions des gens en apprentissage et sur leur prise de conscience de leur situation d'exploités, d'opprimés, repose sur la nécessité d'une action collective des opprimés pour la libération globale. Ainsi, l'idée maîtresse de la pédagogie des opprimés est : « Personne ne se libère seul, personne ne libère personne, les hommes se libèrent ensemble. » (voir : Paulo Freire, *Pédagogie des opprimés* suivi de *Conscientisation et révolution*, Paris, La Découverte-Maspero, 1980 ainsi que *L'Éducation pratique de la liberté*, Paris, Cerf, 1975) Persécutés au Brésil après le coup d'État de 1964, plusieurs éducateurs populaires – dont Freire lui-même – s'exilèrent au Chili, ce qui donna une influence particulière à ce courant dans le cône sud. En plus d'une influence importante sur le processus révolutionnaire africain, notamment en Guinée-Bissau, et un développement important dans certains milieux militants au Québec, l'éducation populaire allait influencer les processus révolutionnaires du Nicaragua ainsi que les luttes insurrectionnelles du Salvador et du Guatemala à la fin des années 1970 et 1980.

apporter dans chaque cas, etc. Ce travail commençait à la base. Par exemple, on réunissait les gens en leur disant : « Est-ce que vos enfants savent comment travaille leur père ? Eh bien, on va aller visiter l'usine ! » Naissait alors la conscience véritablement *politique* des travailleurs, en mesurant l'envergure des problèmes communs. Ce travail d'éducation n'était pas partisan, mais il était profondément politique.

Cuba : un réveil latino-américain

La rupture avec l'Église catholique s'est faite peu après. Nous, militants chrétiens, avons commencé à prendre position contre l'Église officielle [1], voyant que les évêques appuyaient immanquablement les patrons, malgré leurs abus épouvantables, et préféraient parler contre les bikinis plutôt que de dénoncer les riches qui désobéissaient aux lois et ne payaient pas leurs parts aux femmes enceintes, ne versaient pas les acomptes provisionnels des travailleurs, etc. Et c'est encore comme ça aujourd'hui. Cela a marqué la fin, pour nous, de l'Église comme espace de lutte. Voulant créer un autre espace où mettre de l'avant les valeurs révolutionnaires [2] du christianisme, nous avons, avec des jeunes

1. [ndt] La présence de militants catholiques en rupture avec l'Église donne lieu au courant de l'« Église populaire », qui préconise la théologie de la libération et une interprétation des textes sacrés à partir de la réalité des opprimés. Ce courant entre vite en opposition radicale avec le projet et la pratique du Parti démocrate chrétien (DC), ce qui produit des tensions entre chrétiens de gauche et chrétiens de droite auxquelles les démocrates-chrétiens d'Europe n'ont jamais eu à faire face. Le courant de l'Église populaire, aussi appelée par la suite « Église des pauvres », bien qu'il fût plus radical au Chili, ne put se développer autant dans ce pays que dans d'autres pays latino-américains, à cause de la répression sous la dictature. Ce n'est que lors des grandes *protestas* (protestations) pour la démocratie des années 1980 au Chili que l'on a pu voir une remontée de l'Église populaire, d'ailleurs réprimée dans ces années par l'assassinat de prêtres et autres chrétiens engagés. Pour avoir une idée des tensions entre l'Église catholique et ces courants « de base » de l'Église populaire, voir CELAM, *Église populaire et théologie de la libération*, Paris, Fayard, 1988.
2. [ndt] On peut mesurer l'importance d'une pensée chrétienne révolutionnaire en examinant la Déclaration de Medellín de 1968 (*L'Église dans la*

et d'autres militants du mouvement, créé une organisation nationale populaire, la Corporation nationale de l'institut d'éducation populaire. Malheureusement, lorsqu'on fait référence à l'histoire du processus chilien, on ne parle jamais de l'éducation populaire qui, à mon avis, en constituait la composante la plus révolutionnaire, parce qu'elle était proche du peuple, œuvrait avec tout le monde, sans sectarisme, et luttait profondément pour l'organisation et la conscientisation du peuple. Notre travail de militants révolutionnaires chrétiens a été très marqué par notre rencontre avec les chrétiens de Cuba qui luttaient contre la dictature. La révolution cubaine a signifié pour nous un *réveil véritable* ; non pas un réveil communiste ou socialiste, mais bien le réveil de l'Amérique latine ! Cela tenait beaucoup au fait que notre formation nous présentait toujours l'Amérique latine comme étant en lutte contre le « pouvoir » et c'était un peu nébuleux, le pouvoir ; on voyait seulement les riches et les États-Unis, pas beaucoup plus ! (rires) Avec la révolution, on a commencé à comprendre vraiment ce qu'impliquait le capitalisme, mais, au départ, on était avant tout des Latino-Américains, des « militants de la résistance latino-américaine ». La rencontre avec d'autres militants nous a appris beaucoup : c'est ce qui manque le plus aujourd'hui. Pour le peuple, la *vivencia*, l'expérience et la convivialité sont fondamentales. L'information au sujet des expériences en Union soviétique a alors commencé à circuler et, en fait, nous n'étions pas contre, mais nous étions toujours d'abord latino-américains et, de ce fait, moins intéressés par l'URSS que par Cuba et l'Amérique latine. L'expérience cubaine montrait qu'il ne s'agissait pas simplement de changer de gouvernement, que le changement devait être radical. Alors a commencé chez nous la révolution des idées, mûrie par la formation de la population à la citoyenneté.

transformation actuelle de l'Amérique latine à la lumière du Concile de Vatican II, Paris, Cerf, 1992), document émanant de la Conférence des évêques latino-américains (CELAM) qui, entre autres, reconnaît le droit des peuples opprimés à se libérer et à s'engager dans la libération globale de l'Homme. On se rappellera aussi qu'en Amérique latine, surtout dans les années 1960, plusieurs prêtres se sont engagés directement dans la lutte armée révolutionnaire, comme Camilo Torres en Colombie.

Cependant, la montée de l'idée de changement social a fait surgir de nouvelles tensions au sein de la population. Des milieux chrétiens anti-marxistes (notamment jésuites) ont voulu lancer une « nouvelle révolution », à partir du concept de *poblador* (habitant de bidonville) plutôt que de celui de « prolétariat », et nous, de l'éducation populaire, avons mesuré la force de cette tentative de division entre « travailleurs » et « peuple ». Notre lutte se menait alors contre la démocratie-chrétienne. Cette dernière disait que le peuple était pauvre, parce qu'il n'était pas « intégré », mais elle ne reconnaissait pas l'*exploitation*. Ce faisant, la DC voulait opposer les *poblaciones* au mouvement syndical. Ces chrétiens antimarxistes ont remporté plusieurs victoires, mais la réalité a finalement montré combien ils avaient tort, combien l'exploitation était structurante. De notre côté, nous avons beaucoup travaillé durant cette période pour donner des formations démontrant l'exploitation, en essayant de radicaliser les bases, notamment les bases de la démocratie-chrétienne ! Cette situation très, très délicate a duré jusqu'en 1973. Des tensions immenses ont surgi, car le travail en milieu populaire avait toujours réuni diverses tendances, tandis que maintenant la gauche prenait fermement position contre les chrétiens. Nous étions en mauvaise posture, car nous ne voulions pas renier notre foi chrétienne, tout en nous opposant absolument à la ligne anti-travailleurs de la DC... C'est d'ailleurs pour cette raison que Salvador Allende a mis sur pied le mouvement « Catholiques avec Allende », puis que s'est formé « Chrétiens pour le socialisme ». Pourtant, la plus grande partie de la gauche, voulant faire fi de la culture profondément chrétienne du peuple, commettait l'erreur de vouloir appliquer des caractéristiques non latino-américaines à la réalisation du socialisme au Chili. Nous, militants de l'éducation populaire, croyions profondément à la constitution d'un mouvement populaire autonome et fort et, partant, d'un mouvement respectant les valeurs et la culture populaires. Un mouvement populaire oxygène et alimente le parti. Il permet au parti de voir si ses politiques sont appuyées. Notre ligne était la défense des travailleurs avec la gauche. Nous étions convaincus que si les gens avançaient dans la défense de leurs droits, ils allaient, par eux-mêmes, développer leur conscience de classe. Et c'est ce qui s'est passé. En 1968, nous n'avions plus le choix, nous devions prendre parti. Existait enfin une opportunité pour le peuple de prendre le pouvoir politique : il fallait intégrer les partis politiques. Quelques-uns d'entre nous sont allés voir le Parti communiste (PC), en disant : « Nous sommes chrétiens et voulons intégrer le parti. » Alors le PC a mis sur pied des dialogues « chrétiens et socialistes », s'adressant à nous, mais aussi à d'autres chrétiens moins radicaux. Et ce fut très intéressant. Nous avons aussi été vers le PC car, sur le terrain, nous, les militants du mouvement populaire, voyions les communistes très solides dans leur opposition aux patrons.

Le gouvernement de Salvador Allende : « militants créatifs » et initiatives universitaires cruciales dans le domaine de l'éducation

J'ai alors été envoyée travailler au volet éducation de la Centrale unitaire des travailleurs (CUT), véritablement le cœur de la mobilisation. Cela m'a permis de voir l'ampleur de la mobilisation, y compris celle des artistes engagés dans le travail d'éducation. Lorsque Allende est arrivé au pouvoir, son programme politique s'enracinait dans l'éducation populaire, dans la formation. L'idée centrale d'Allende était la formation de militants *créatifs* : « Je veux des militants créatifs, parce que la lutte demande de savoir résoudre des problèmes. » L'Université catholique et l'Université du Chili avaient fondé de très intéressants « Programmes d'éducation supérieure des travailleurs ». Ces programmes, valorisant l'expérience pratique et tous les savoirs des travailleurs, constituaient des réseaux entre l'université et les milieux de travail. C'est malheureux que ces programmes ne soient pas davantage connus aujourd'hui, notamment parce que tous les documents ont été détruits lors du coup d'État (de 1973). Chaque usine avait un lien avec l'université ; tous les segments de l'industrie étaient rassemblés. C'était merveilleux ! Tout cela apportait de tels changements positifs qu'on en est arrivé à dire que, pour faire avancer la révolution, il fallait changer avant tout l'éducation. C'est d'ailleurs lorsque Allende a voulu transformer le système d'éducation que la réaction de la droite – je l'ai vu personnellement – a été terrible, allant jusqu'à s'attaquer de façon criminelle à ceux qui voulaient changer l'éducation. Entre 1970 et 1973, une lutte mortelle a été menée contre chacun de nous et j'ai appris alors ce que signifiait être communiste ! En même temps, beaucoup de choses implosaient ; la famille et l'Église éclataient. C'était terrible. On a dû travailler et avancer dans ce climat-là. On n'était pas beaucoup de travailleurs d'éducation populaire et il fallait absolument massifier l'information, par la télé et la radio. Alors, avec des étudiants en journalisme, j'ai commencé à réaliser un programme d'éducation à la télé, jusqu'à ce que la droite exige que les éducateurs comme moi sortent des ondes, en alléguant que nous n'étions pas journalistes. Même si le syndicat m'a soutenue, la droite a retiré les publicités, nous coupant l'herbe sous le pied. Puis les étudiants m'ont encouragée à devenir journaliste, en m'inscrivant à la faculté. J'avais presque terminé mes études lors du coup d'État, mais tous les journaux étaient de droite et nous n'avions plus de tribune. Alors c'est pour cela que je continue à lutter aujourd'hui : parce que je connais, dans ma chair, le pouvoir de la droite et je *dois* m'y opposer. Je sais qu'il y a aussi des gens malhonnêtes ou profiteurs à gauche. Mais le peuple a raison et il nous appartient de changer les lois et de faire la révolution. Je n'avais aucun doute : il fallait tout changer.

J'ai toujours lutté pour cela.

Bilan, perspectives d'avenir, apprentissages

Fonder une autre culture que celle du capitalisme

En fait, beaucoup de gens étaient de gauche de par leur famille, mais moi, j'y suis arrivée par le travail d'organisation,

par l'analyse de la réalité. Comme éducatrice, j'avais la satisfaction de voir combien les gens avançaient, en particulier combien
les femmes, ayant compris des choses, étaient des moteurs non
seulement de changement politique, mais aussi de changement
global, de nouvelle vie, d'*émancipation*. J'ai vu que notre position était vraiment basée sur la réalité de la lutte de classe, que ce
n'était pas une question de suivre la position du parti : ça, c'est
très, très clair pour moi. Il y a un droit humain du peuple et je
l'ai vécu, je le sais, j'ai souffert de sa négation. Alors je dis tous
les jours : « Voici la situation : personne ne peut me convaincre
du contraire, même en pointant les erreurs commises en URSS. »
Il faut *changer* les choses. Parfois, on se fatigue, on se dit que ça
n'avance pas. Par exemple, depuis que je suis ici, au Québec, j'ai
dû faire des kilomètres de manifs! Mais on ne peut pas arrêter :
il faut *résister*. Je crois vraiment qu'il y a une autre vie, une autre
façon de vivre. Je sais que le pouvoir pose problème. On le voit
maintenant, partout.

Je ne sais pas si mon histoire peut servir à quelque chose!
Mais c'est dommage que l'on ne parle plus des gens qui par-
ticipent à des mouvements d'éducation en tant que professeurs,
artistes... Le travail de création d'un parti politique est une chose
fondamentale, que je valorise beaucoup, mais le travail d'éducation populaire est aussi important, parce qu'il s'agit de former des
militants. Or, former un militant, c'est former un être humain
intégral.

Vous me demandez si mon engagement s'est maintenu en
dépit des changements? Mais oui! Même si je voyais et si je
vois encore plusieurs éléments erronés au sein de la force populaire, il y a une raison fondamentale, une *condition*, un état d'exploitation, qu'il faut changer. Mais cela implique de changer
entièrement la personne. J'aimais beaucoup Allende parce qu'il
reconnaissait la valeur de l'éducation, de son importance pour
changer les choses, pour s'émanciper. Déjà à cette époque, la
gauche devait changer, changer la culture, s'émanciper. Dans la
mesure où on est dans une culture égoïste, capitaliste, il faut être
particulièrement vigilant. Pour les gens des milieux populaires,
la vie de quartier est fondamentale. Profondément matérialiste,

la culture dominante nous oppose les uns aux autres. C'est ce que je dis dans les organisations auxquelles je participe ici : on ne peut pas faire la même chose que les autres, on doit fonder une *autre* culture, qui n'est pas celle du capitalisme. Malgré des erreurs, les organisations sont des écoles pour cela, c'est ce que disait d'ailleurs Allende : « Les organisations populaires sont notre unique armée. » Alors il faut défendre la dignité et d'autres valeurs fondamentales au sein de l'organisation. Malheureusement, les gens font souvent aujourd'hui n'importe quoi ; ils improvisent... Ce n'était pas comme ça auparavant : les valeurs de l'organisation sont très importantes. On ne s'improvise pas dirigeant, sinon c'est n'importe quoi. La culture organisationnelle doit changer, car on ne peut lutter contre la domination et l'injustice qu'en changeant notre culture. On ne peut échapper à la logique de destruction et de déshumanisation du capitalisme que si on n'est pas fonctionnel avec le système, que si on refuse d'être une pièce, un ressort du système fondé sur les valeurs égoïstes.

En quittant le Chili, je me disais : « Mais ils sont fous ! On va dénoncer cette dictature à l'étranger et elle va tomber. » Mais nous avons perdu, et ce, un peu partout. En même temps, nous avons perdu beaucoup de notre culture, nous avons perdu des valeurs révolutionnaires qu'il faut réactiver et réinventer. Et quand je vois tous ces effort anéantis, malgré tout le temps qu'a exigé la construction du mouvement populaire chilien... Mais il y a maintenant d'autres conditions qu'il faut analyser et, en premier lieu, le pouvoir des médias de masse. Nous avions auparavant une presse populaire. Nous sommes maintenant dans une société de divertissement : il y a tant de festivals, de loisirs... Ici, au Québec, les gens sont toujours occupés. C'est difficile de former des militants. Et en plus, certaines conditions n'aident pas. Par exemple, comment connaître nos voisins, alors que tout le monde déménage le 1er juillet. Il est inutile de regretter le monde passé ; il faut créer de nouvelles conditions de lutte. Ainsi, Internet peut constituer aujourd'hui un outil de lutte important. De même, l'internationalisation de la solidarité est une avancée et crée de nouvelles possibilités. Ce sont des points positifs. Les gens arrivent à être très proches, à créer des réseaux impossibles auparavant, mais le problème reste l'angle d'approche de cet immense, *tremendo*, pouvoir. Il y a beaucoup, beaucoup de mouvements sociaux. Je vois une jeunesse du Québec plus consciente et plus active. La quantité de jeunes conscientisés augmente, notamment depuis que s'organisent des stages de conscientisation en Amérique latine : les jeunes en reviennent plus militants.

Comme toujours, cependant, le système crée ses propres contradictions. Ainsi, le mouvement et les luttes écologistes permettent aux gens de comprendre des contradictions fondamentales du système, notamment quant aux pouvoir et implications des compagnies multinationales. Ce sont des problématiques que les gens n'auraient pu, sans le mouvement écologiste, comprendre par eux-mêmes. Il y a certainement une grande mobilisation et de grandes forces dans le mouvement écologiste. Il me semble toutefois qu'il manque d'idéologues capables d'en faire la synthèse, en étant plus proches du peuple. Trop d'intellectuels restent dans leurs livres et se contentent de faire des commentaires académiques. Il y a beaucoup d'informations disponibles : mais comment faire pour que les milieux populaires puissent y avoir accès ? Il y a un manque flagrant d'éducation populaire. Dans nos organisations, les militants ont tendance à dire : « Si les gens veulent de l'information, qu'ils aillent sur le site Web. » Ça me fâche : tout le monde n'a pas nécessairement accès à Internet haute vitesse. Internet, en ce sens, est une arme à double tranchant. Les professionnels sont « coupables » de ne pas partager leurs connaissances. Dans la construction d'une lutte démocratique permanente, les professionnels ont un grand rôle à jouer. C'est grâce à cette grande volonté de partage des connaissances que le mouvement populaire chilien a tant avancé. Il y a aussi un savoir populaire, qui n'est pas valorisé, que l'éducation populaire permettait d'analyser, de systématiser. L'éducation populaire est une méthode pour aider les gens à partager et à diffuser leurs savoir.

Il est possible que surgisse de nouveau un mouvement social très fort, mais il aura de nouvelles caractéristiques. Par exemple, la gauche, dont je suis, n'a jamais manifesté une grande conscience des droits des homosexuels. La lutte pour l'émancipation des femmes est fantastique, même s'il s'y manifeste des tendances de gauche et de droite. Un nouvel axe de lutte très fort est celui des peuples autochtones. En ce moment, la tâche principale de la gauche est d'arriver à synthétiser ces mouvements. Il s'agit de réunir ce qui est atomisé, même dans la lutte pour les droits où chacun défend ses parcelles de droits. L'autre jour, un travailleur des Nations Unies est venu à la Ligue des droits et libertés et a dit : « Bien sûr, il y a plusieurs luttes pour des droits, mais ces droits sont cloisonnés. Personne ne va à la racine des droits, à cette idée de dignité de la personne. Partons de là, de l'importance d'être conscient de cette dimension dans toutes les luttes pour les droits. » La dignité humaine implique l'opposition à toute forme de domination et la volonté de briser cette domination. La dignité des travailleurs requiert d'*exiger*, car les riches ne comprennent pas sans conflits, *por las buenas*... Une force d'opposition est nécessaire, mais une force d'une autre nature que celle des dominants. *Nous ne sommes pas comme eux* : nous devons lutter d'une manière différente. Pour cela, il faut construire une lutte démocratique permanente, active, vigilante constante, *entregarse* (se donner). Il faut que nous comprenions que le mode de vie des riches est destructeur pour eux comme pour nous.

Une révolution différente

Peut-être que le socialisme chilien, s'ils l'avaient laissé vivre, aurait été bien distinct... Dans le processus chilien existait le sens du peuple, la conviction que nous pouvions *tous* changer les choses : c'était beau. Ce sens du peuple se traduisait dans l'organisation de spectacles par des artistes qui disaient : « Nous allons donner le meilleur pour le peuple, le meilleur, pas n'importe quoi. » Tous étaient des *travailleurs*, peu importe leur position dans le processus : des travailleurs de l'éducation, des travailleurs de la culture, des travailleurs de l'organisation. Et alors s'est créée une dynamique tout à fait distincte et particulière, sur laquelle peu de choses ont été écrites, qui reposait sur la manière dont les gens comprenaient le socialisme. Il y avait, par-dessus tout, un sentiment, une émotion de gauche, autour de la construction du socialisme et autour de cette conviction que le pays tout entier appartenait au peuple. Ce sentiment, ce quelque chose qui va au-delà du seul raisonnement intellectuel, cette « idée-force » de peuple créateur demeure et reste indestructible. Les idées s'incarnent dans le sentiment : on construit, on lutte par amour pour le peuple, pour un idéal... Aujourd'hui, de nouveau, se produit un réveil de ce sentiment au Chili, dans les organisations. Les consignes sont de nouveau : créer, créer ! Un peuple éduqué politiquement, un peuple organisé peut tout. Et cela s'est même manifesté sous la dictature : c'est parce que les gens étaient organisés, malgré la répression, qu'il n'y a pas eu davantage de gens morts de faim. On sortait pêcher et on répartissait la récolte ; on s'organisait, malgré le chômage et la brutalité, pour ne pas se laisser mourir de faim les uns les autres. La situation sous la dictature aurait été bien pire sans l'organisation du peuple. Et cela ne se perd *jamais* entièrement : c'est pourquoi je n'ai jamais été désillusionnée. La transformation humaine et sociale des gens, je l'ai vue, je l'ai palpée et je l'ai vécue. Je ne pourrai *jamais* la nier. Cette dimension révolutionnaire du peuple n'a jamais été suffisamment étudiée ou analysée. Les jeunes, enthousiastes, consacraient toute leur énergie à ce projet, les étudiants allaient dans les quartiers pauvres, tous se mêlaient avec la population pauvre et participaient. Ce processus était appuyé par les partis de gauche qui ne le dirigeaient pas, ni le contrôlaient, ce qui constitue une autre particularité de ce processus révolutionnaire. C'était beau, beau ! J'ai vu tous les fruits de cette transformation populaire... Je sais que cela est advenu et peut advenir encore. Pour ce faire, le peuple doit prendre les choses en main, ne pas se laisser diriger. Les gens doivent se « révolutionner » entre eux et eux-mêmes, ce qui constitue une façon de vivre entièrement différente, une nouvelle philosophie de la révolution.

Voilà un message de l'Amérique du Sud qui, j'espère, pourra alimenter les réflexions présentes au Québec dans les milieux de la gauche.

André Dudemaine

L'espoir dans ma lanterne

André Dudemaine, membre de la communauté de Mashteuiatsh, est de la nation innue. Après avoir œuvré dans divers projets d'éducation populaire en Abitibi-Témiscamingue et au sein d'organismes de défense des droits des locataires à Montréal, il a été coprésident de la commémoration du tricentenaire de la Grande Paix de Montréal (1701-2001). De 2002 à 2004, il a siégé au conseil d'administration du réseau APTN (Aboriginal Peoples' Television Network), la télévision des Premières Nations au Canada. Il est le fondateur et directeur de Terres en vues, société pour la diffusion de la culture autochtone, et dirige depuis 17 ans le festival Présence autochtone de Montréal. ∎

L'ORDONNANCEMENT DE LA FORMULE d'invitation est bien choisi. *La gauche au fond de l'impasse* eut été sombrement pessimiste, quand bien même on lui eut accolé un point d'interrogation. On se serait alors cru obligé de prendre une plume officielle pour discuter de l'authenticité du certificat de décès des lendemains qui chantent.

L'impasse au fond à gauche eut évoqué le cul-de-sac et l'idée de frapper un mur n'attire personne. Mais là, loin d'un énoncé bêtement topologique, avec la connotation magique que l'ordre confère aux mots, nous voici conviés à des agapes vaguement clandestines, pique-nique séditieux où chacun est prié d'arriver avec son panier d'expériences concluantes et de visions énergisantes.

Au fond d'impasse à gauche, il y a des points de suspensions qui indiquent qu'au-delà de l'aire emmurée où la ligue des camarades tient conventum, il y aurait, qui sait, un soupirail, une porte dérobée, un passage secret, bref une issue par laquelle les vieux rêves reprendraient de plus belle la route de l'avenir.

On sent aussi, sous le sourire entendu, une tension née de l'urgence. Ce rendez-vous (dans une impasse, tout de même) a quelque chose d'ultime. On cherche le moyen de s'en sortir et on espère, sans trop oser l'avouer, que par la cérémonie du cercle reconstitué apparaîtront les tracés sur lesquels aligner les rails ; et alors, le train de l'histoire, temporairement stationné dans une cour de triage, pourra enfin reprendre son inéluctable voyage.

Une métaphore n'est jamais complètement innocente ; on sait cela, à gauche, avec notre obsessive dissection du discours prompte à détecter toute déviation qui pourrait s'y cacher. Cette invitation-ci, sous ses airs (faussement) pessimistes, je la suspecte de nostalgie un tantinet narcissique.

À Jorge Sanjines, le héraut de la révolution *made in South America*, à sa première visite à Montréal, la question fut posée avec toute la prudence et la circonspection qui s'impose face à un homme qui a tenu tête aux dictatures et dont la survie tient à la fortune de l'exil. Au bout de cette longue marche, n'est-ce pas l'impasse, le capitalisme triomphant, le néolibéralisme qui impose sa règle, les dictateurs sanguinaires amnistiés par anticipation, Cuba isolée et frigorifiée, etc. ? Devant un tel insuccès, Mère Courage elle-même pourrait jusqu'à en perdre le souffle et son éponyme vertu.

À ses interlocuteurs, Sanjines répondit qu'un être humain qui a une durée de vie limitée a une tendance naturelle à lire les événements à l'aune des bornes de sa propre existence. En Amérique du Sud, les meilleurs éléments de toute une génération ont été physiquement éliminés, ce qui a amené une situation historique particulière... et passagère. Mais, ajouta-t-il avec insistance, l'aspiration des peuples à la liberté et à la justice demeure alors que les temps changent. (Il ne pouvait mieux dire : à son second voyage, en 2005, on le bombardait de questions sur la révolution bolivarienne, la révolte des *cocaleros* et la nouvelle donne géopolitique en Amérique du Sud.)

Ce qui apparaît aujourd'hui impasse à notre myopie pourra être vu demain comme un défaut de perspective. L'humilité sied à l'analyse. Nos vies trop brèves, l'histoire les emporte et s'en nourrit ; dans son courant, nous naviguons à (courte) vue.

Ces précautions oratoires étant prises, il est temps de jouer le jeu.

Moi, je suis venu au monde, politiquement parlant, aveuglé de lumière, sous la figure christique de Guevara assassiné. C'était bien l'heure des brasiers, comme ce dernier l'avait annoncé. Un film tourné clandestinement en Argentine reprenait la formule pour en faire un titre-choc. Et pour que rien ne manque de clarté, Fernando Solanas citait le Che *in extenso* à l'écran : « Quand vient l'heure des brasiers, il ne faut en voir que la lueur.»

L'humanité ne manquait pas alors de phares (il y avait plutôt pléthore) et, pour paraphraser Richard Desjardins, la lumière au bout du tunnel n'était pas encore fermée pour une durée indéterminée.

À mes yeux adolescents, tout progrès semblait participer à la grande fête révolutionnaire, tranquille ici, mais tumultueuse de par le vaste monde. On se passait *Parti pris* sous le manteau dans les couloirs du collège classique toujours sous la coupe des censeurs ensoutanés dont l'obscurantiste et séculaire pouvoir était cependant, sous nos yeux, en train de s'effriter et de disparaître.

Le Vietnam résistait sous les bombes, Pierre Bourgault chauffait les salles, Marx se portait jeune et Dylan chantait les temps qui changent.

Pour que la fête soit complète, il ne nous manquait qu'un modèle révolutionnaire : Mai 68 allait bientôt nous en fournir un. En effet, contre toutes les analyses sur la stabilité du capitalisme d'après-guerre, une situation insurrectionnelle allait exister pendant un mois dans un pays industriel développé.

La suite, bien sûr, fut d'apprivoiser un monde dont la complexité m'était insoupçonnée. Sans reniement cependant. Solanas (qui décidément n'en manquait pas une) citait également, sur l'écran de *L'heure des brasiers*, Frantz Fanon : « Nous avons tous les mains plongées dans la boue de notre terre et dans le vide de nos cerveaux. Tout spectateur est un lâche ou un traître.»

De tous les aphorismes de cette époque, si ne je devais en retenir qu'un, ce serait celui-là.

Il y des moments qui ont valeur de signes. On ne les voit pas à prime abord comme tels, mais une brèche a été ouverte dans l'élan de nos certitudes, puis subséquemment un questionnement se fait têtu et nous oblige à reconsidérer la solidité du terrain sur lequel nous avancions. De la perspective particulière de quelqu'un issu d'une Première Nation (puisque c'est le point de vue qu'on a voulu ici que je prenne), je me souviens d'un de ceux-là.

J'assistais à un discours de René Lévesque en tournée provinciale (j'habitais alors en Abitibi où je suis né) à la suite de sa sortie du Parti libéral pour fonder le Mouvement souveraineté-association (MSA). Le fameux orateur à la craie reprenait un tableau statistique, tiré des travaux de la commission Laurendeau-Dunton, sur les niveaux de revenu des ménages au Québec selon l'origine ethnique. Il s'indignait que le Québécois francophone se situe au bas de l'échelle, juste au-dessus des Italiens, des Indiens et des Esquimaux (on ne disait pas encore Inuit). Les Italiens, d'immigration plus récente, expliquait-il, allaient bientôt combler leur retard et (ici, grande indignation dans la voix et foule qui frémit) dépasser les revenus des francophones.

Pris par le propos et touché par la colère d'un groupe national qui se sent victime de discrimination, ce n'est que plus tard que me revint que, dans le grand appel à la justice qui a suivi, on avait oublié les Indiens et les Esquimaux en cours de route. Et que cela avait semblé normal. À tous.

Ma sympathie pour le nationalisme québécois allait par la suite toujours se teinter d'un bémol (plus ou moins prononcé selon les époques et les circonstances).

Mais, à ce moment, mon histoire de jeune homme de gauche ne faisait que de commencer [1].

Reprenons le fil.

Face aux insuffisances de la gauche, qui ne parvenait ni à proposer une solution de rechange sérieuse au capitalisme, ni à offrir à ceux et à celles qui voulaient s'engager socialement une expérience de vie qui correspondrait à leurs idéaux, deux réponses se

---

1. Je fais ici le compte rendu d'une expérience personnelle et ne prétend pas avoir tout dit de la pensée, qui ne fut pas immuable d'ailleurs, de René Lévesque sur la question autochtone.

déployèrent alors. D'un côté, une plongée tous azimuts dans des causes bien circonscrites et plus particulièrement dans celles qui avaient été traitées de haut, voire avec arrogance, par le discours révolutionnaire et ceux qui le soutenait : écologie, féminisme, droit des homosexuels, projets de développement international, etc. De l'autre, un retour à la théorie et aux textes classiques qui remit au goût du jour le bon vieux bolchevisme de grand-papa. (Je n'entre pas ici dans les détails de cette histoire-là, d'autres le feront sans doute beaucoup mieux que je ne pourrais le faire dans des textes concomitants du présent exercice.)

Mon implication dans les projets de médias ouvriers et populaires qui étaient alors menés en Abitibi me permit de me tenir tant bien que mal en équilibre entre les deux termes. Avec une théorie proche de l'anarcho-syndicalisme, construite avec des emprunts à Saul Alinsky et à André Gorz, et un travail qui visait à donner « la parole aux sans-parole », mon besoin d'engagement et la nécessité de maintenir une distance critique vis-à-vis du néostalinisme des groupes marxistes-léninistes pouvaient tenir conjointement la route [1].

Cet élan dura, même après que, sous la pression des élites les plus réactionnaires, la station Radio-Nord ait coupé l'accès aux ondes à la grande coalition syndicale et populaire, le Bloc, qui pilotait l'expérience. La télévision éducative régionale (notamment avec le projet Multi-Média) allait reprendre le flambeau pour un certain temps et continuer sur la même lancée, jusqu'à ce que les autorités de Radio-Québec, alors que s'implantait une programmation régionale sous l'égide de la société d'État, mettent une fin abrupte, avec des complicités sordides, à une pratique de télévision régionale dont le champ d'implication sociale était cause de controverses.

Pendant ce temps, mais en parallèle, un mouvement de revendication s'était constitué du côté des Premières Nations,

1. Pour un aperçu honnête et succinct de cette période je renvoie le lecteur à Julie Bergeron, *Le BLOC, le Comité des paroisses marginales et Multi-Média, animation sociale et mobilisation populaire dans l'Abitibi-Témiscamingue des années soixante-dix* ; l'ouvrage publié sous les auspices de Solidarité rurale Abitibi-Témiscamingue cite les textes que j'avais produits à l'époque.

mais son itinéraire ne rencontrait que très occasionnellement les sentiers parcourus allègrement par les militants de tout poil.

Une anecdote souvent racontée date de cette époque. L'histoire va comme suit : un groupe de militants marxistes, lors d'une rencontre suscitée par la mobilisation autour d'une cause nécessitant solidarité, manifestait quelque peu bruyamment une impatience toute laïciste devant le long cérémonial auquel se livraient les traditionalistes iroquois pour l'occasion. Un aîné mohawk, faisant face aux rieurs, interrompit le rituel et s'adressa à eux : « Vous connaissez Lewis Henry Morgan ? » leur demanda-t-il. Les chahuteurs interloqués de se voir ainsi apostrophés se ressaisirent et ne manquèrent point d'étaler leur érudition militante : « Morgan, un des pères de l'anthropologie, est cité par Engels dans son ouvrage *Les origines de la famille, de la propriété privée et de l'État* », répondit l'un d'eux. « Et Morgan a passé sa vie à étudier les sociétés iroquoises », poursuivit le Mohawk avant de conclure sur ces mots : « La pensée communiste s'est donc inspirée de nos sociétés. Les fondateurs des États-Unis d'Amérique, notamment Franklin, ont élaboré leur système politique en s'inspirant de la confédération iroquoise. Il serait maintenant temps que les uns comme les autres vous nous écoutiez un peu mieux afin de savoir ce qui n'a pas marché ! » La cérémonie reprit alors et on raconte qu'elle put se terminer sans autre interruption.

Cet incident est significatif à plus d'un égard. Il révèle que, contrairement aux préjugés bien ancrés, les leaders autochtones sont capables de penser la politique en termes contemporains, à partir de leur propre culture, et habilités à inscrire leur réflexion dans le cadre des débats qui agitent le monde moderne.

Très souvent, pour les personnes qui se voient elles-mêmes comme progressistes (à droite comme à gauche), les Premières Nations sont devant ou derrière, plus rarement au diapason. Un peu comme dans le western classique, l'autochtone surgit sur les côtés de la route et il faut en disposer proprement. Reléguées (au mieux) dans un communisme primitif, les cultures premières sont, comme chez les Encyclopédistes, la preuve que la société à venir est possible, mais leur apport au présent appartient au cabinet de curiosité. Comme si, épousant les thèses dudit Morgan, on avait scientifiquement et définitivement figé les phases de développement de l'humanité en sauvagerie, barbarie et civilisation. La pensée occidentale a la fâcheuse tendance à se croire la principale, sinon l'unique, dépositaire de cette dernière ; à gauche, l'hegeliano-marxisme n'a pas corrigé le tir. Si maints marxistes ont lu Lévi-Strauss, il est à se demander si ce n'est que pour y puiser un schéma d'analyse (le « structuralisme ») qui allait leur permettre de remarquables acrobaties intellectuelles à la suite de l'école althussérienne. Pourtant, chez celui-là, si on le lit bien, il y a démonstration que toute pensée contient l'universel et que l'ordonnancement du monde chez les « primitifs » a une complexité qui peut se comparer aux plus subtiles analyses de la science contemporaine. Qui plus est, dans son célèbre débat avec Sartre, Lévi-Strauss recala l'auteur de *Critique de la raison dialectique* pour faute de méthode, notant que « dans le système de Sartre, l'histoire joue précisément le rôle d'un mythe » équivalent à l'éternel passé du primitif. Cette impasse, qui consiste à prétendre saisir tout de l'Autre en se gardant pour soi-même le brevet d'universalité, n'est-elle pas celle de la pensée de gauche vis-à-vis des Premières Nations ?

Cette réflexion est ici beaucoup moins théorique qu'ailleurs, puisque la société canadienne s'est bâtie en symbiose avec les premiers peuples, un pan d'histoire que la bourgeoisie et le clergé ont voulu amoindrir, travestir et, autant que possible, rayer de la mémoire populaire. Dans la même veine, le courant nationaliste moderne au Québec a tourné le dos à l'amérindianité du Québec en se donnant une image *clean* toute faite de modernité technocratique incarnée par Hydro-Québec. Le bateau nationaliste naviguait plein vent derrière son « vaisseau amiral » alors que de plus en plus de gens chez les Premières Nations y voyaient une armada conquérante propre à les submerger. Malgré les nombreux progrès enregistrés récemment, ce malentendu subsiste encore aujourd'hui sous les non-dits des discours officiels et risque de ressurgir à l'occasion d'un conflit territorial comme celui que la région de Montréal a connu à l'été 1990.

Avec tout ce qui vient d'être dit, il apparaîtra assez ironique que la rencontre décisive avec mon héritage amérindien se soit fait sous les auspices de militants d'En lutte ! Ce groupe marxiste-léniniste, conformément à ses canons politiques, reconnaissait le droit à l'autodétermination aux nations amérindiennes et certains adhérents travaillaient dans les associations représentant les Indiens sans statut. C'est par leur entremise que je me pointai au premier Festival du film et de la vidéo autochtones de Montréal, organisé sous le patronage du journal *Sans réserve*. Je croyais n'être qu'un spectateur, mais l'injonction de Fanon (voir plus haut) finit par me rejoindre. La tenue d'un événement culturel récurrent consacré aux Premières Nations apparut comme une nécessité aux yeux de plusieurs, au moment même où les associations ne voulaient pas assurer la pérennité d'une telle manifestation. Rescapé de l'odyssée abitibienne et expatrié à Montréal, je fus convié à me porter volontaire.

À la même époque, un film auquel je travaillais me permit de rencontrer Arthur Lamothe, qui me proposa alors de collaborer à titre d'assistant pour le film qu'il préparait sur l'art autochtone contemporain. Arthur soutenait la thèse que les artistes jouent aujourd'hui pour les Premières Nations le rôle traditionnel du chamane, la ressource ultime vers laquelle le groupe doit se tourner lors des grands moments de crise. Face à la disparition du cadre dans lequel les activités économiques traditionnelles s'exerçaient et aux pertes de repères subséquentes, le désarroi social ne pourra se surmonter que lorsque de nouveaux paradigmes identitaires, prenant en compte les héritages mais les réactualisant dans les réalités contemporaines, se feront jour : et ces nouveaux paramètres, ce sont les artistes des Premières Nations qui sont en train de les faire émerger en inscrivant leur identité dans des parcours contemporains. Cette idée, exprimée par celui-là même qui avait filmé les derniers des grands passeurs de la tradition séculaire innue, sembla tellement incongrue que jamais Arthur ne put trouver le financement nécessaire pour réaliser la grande fresque dont il rêvait. Avec sa proverbiale opiniâtreté, il réussit quand même, à force de conviction, à produire et réaliser l'*Écho des songes*, un film qui, même tourné avec des moyens réduits, demeurera, par la pertinence de son propos, une référence pour les générations futures.

Par cette expérience, je découvris comment, même chez des gens de qui on s'attendrait à une opinion éclairée, l'Amérindien avait été soigneusement enfermé dans un rôle tout fait et que la proposition même de la modernité d'une démarche artistique venant de là était irrecevable.

Voilà donc qu'un mécanisme important d'évolution sociale, l'expression artistique comme moyen de passage d'une période historique à une autre, se voyait entravé par un préjugé généralisé à l'égard des Premières Nations.

Et de là, me voici arrivé à la maturité de l'âge et au présent de mes engagements. Petit inventaire de mes colères et entêtements.

Il y a deux tiers-mondes au Québec comme au Canada : les Premières Nations et les ménages monoparentaux. Je n'entrerai pas ici dans les statistiques en avalanche qui décrivent l'état général de marginalisation et de pauvreté de ces deux groupes de laissés-pour-compte. Je noterai cependant que dans les deux cas, la difficulté des intellectuels de gauche à prendre à bras le corps la situation de ceux et celles qui sont aujourd'hui les plus démunis, avec un discours capable de rendre intelligibles les mécanismes particuliers d'exclusion sociale dont ils sont victimes et l'élaboration d'une plateforme de lutte pour faire avancer leur cause, peut en effet faire impasse aux idéaux qui demeurent dans le ciel des idées et qui ne trouvent pas leurs pieds pour avancer au ras du sol.

Il y a actuellement, prenant prétexte de la situation dramatique des femmes seules et de leurs enfants, une résurgence sourde du discours religieux et moralisateur avec en arrière-plan un retour aux idées les plus rétrogrades. Le champ est libre, car les héritiers de Marx et de Freud l'ont abandonné aux ayatollahs du conservatisme, qui en profitent pour revenir à petits pas sur le devant de la scène avec une arrogance sournoisement triomphaliste, dénonçant à tout va le féminisme, l'éducation laïque, la libéralisation des mœurs, l'abandon des églises, le mariage homosexuel, etc. Pourtant, les pistes d'analyse sont nombreuses qui permettraient de mieux rendre compte de ce cas de paupérisation : discrimination à l'embauche ; délocalisation du travail manufacturier pénalisant d'abord le travail non spécialisé qui se décline le plus souvent au féminin ; désengagement du patronat et sous-investissement de l'État dans les garderies, notamment en milieu de travail ; absence de contrôle sur le coût des loyers, etc. Dans le cas des Premières Nations, il y a déficit de compréhension et, conséquemment, de solidarité. Les amnésies collectives décrites plus haut obstruent également à gauche, là où on se croit, à tort, immunisé contre les visions colonialistes. Le XIXᵉ siècle industriel a embrigadé la société toute entière dans un processus ethnocidaire contre les Premières Nations afin de satisfaire à la voracité territoriale d'une économie capitaliste en pleine expansion. L'idéologie de l'époque a perduré à travers l'enseignement d'une histoire eurocentriste. Il y a, pour désengorger les voies de l'avenir, nécessité de liquider les séquelles de cette époque dans les esprits.

Mais là, on peut sentir que les choses bougent. Je choisirai, entre de nombreux exemples, le succès (entre autres, fait notable, auprès des enseignants) de la brochure de Pierre Lepage intitulée *Mythes et réalités sur les peuples autochtones*, publiée par la Commission des droits de la personne et de la jeunesse. Voilà un formidable outil d'éducation populaire dont on ne saurait trop encourager la diffusion, nonobstant l'incongruité syntaxique du titre.

Également, la convergence entre les revendications des Innus de Betsiamites et la sensibilité des Québécois face à la surexploitation de la forêt, fait que ce que Lamothe appelle un « couloir de sympathie » semble en train de se rétablir entre les Premières Nations et l'opinion majoritaire.

Je crois que la gauche québécoise trouverait également bénéfice à regarder de plus près ce qui se passe en Bolivie présentement. Le processus de transformation sociale en cours là-bas s'accompagne d'une véritable anamnèse libératrice, par laquelle la société toute entière retrouve le fil de son histoire véritable, dont le cours remonte plus loin que le XVIᵉ siècle et l'arrivée des Européens. Au-delà des nombreuses différences structurelles, historiques et démographiques entre les deux pays, le mécanisme profond de mobilisation des esprits (dans ce qui va bien plus loin qu'une simple réconciliation nationale) qui joue un rôle moteur dans les transformations en cours en Bolivie pourrait être ici, *mutatis mutandis*, une clé pour sortir des ornières idéologiques qui mènent aux impasses annoncées.

En ce sens, la diversification de la société québécoise, par les apports de l'immigration, invite désormais à penser le projet collectif dans un cadre civique *national* plutôt que dans un sursaut *nationaliste*. Une métropole comme Montréal devient microcosme de l'humanité, non seulement par la variété des origines et des cultures qu'on y trouve, mais surtout comme lieu de rassemblement, où le besoin de faire de l'autre un proche pousse des milliers de personnes à vouloir y vivre et s'épanouir. Je pense que la vision amérindienne du monde peut être d'un grand secours pour concevoir un cadre de vie à la fois respectueux des différences et porteur des idéaux universels d'égalité, de fraternité et de justice. Ce retour aux sources, nécessaire pour les Premières Nations elles-mêmes qui ont perdu une partie de leur âme dans les vicissitudes des camps de concentration pour enfants (appelons donc une fois pour toutes les écoles résidentielles par leur nom véritable) et dans la mise en tutelle dont elles furent victimes, pourrait s'avérer un projet rassembleur et mobilisateur pour tous.

Je trouve réjouissant de voir aujourd'hui autant de personnes impliquées dans des activités artistiques et culturelles créant des lieux d'échange, d'interculturalité, de convivialité et d'imagination. Que les médias liés au pouvoir dominant rechignent et fassent la fine bouche en disant qu'il y a « trop de festivals à Montréal » et que la radio-télévision ait bouté la littérature et la réflexion critique hors des ondes est symptomatique de l'agacement que suscitent chez les tenants de la pensée technicienne et instrumentaliste les espaces de liberté que nous avons créés. Le pouvoir déteste l'imagination, incontrôlable folle du logis, qui pourrait un jour, comme le dit un slogan célèbre, se prendre pour lui.

Au bout du compte, je retiens que la sensibilité de gauche ne s'est point émoussée bien qu'elle ait trouvé refuge dans des parcours plus personnels depuis que la lutte finale a été reportée *sine die*. Elle persiste comme sel de la terre, ferment de progrès. J'en veux pour preuve la formidable et spontanée mobilisation générale contre la participation du pays à la guerre en Irak, qui aura joué un rôle décisif dans la décision du gouvernement canadien qui aurait autrement penché pour l'engagement militaire.

Alors que le grand brasier révolutionnaire n'éclaire plus les horizons de la gauche, les militants, comme Candide, se sont dispersés dans des sillons qui demeurent fertiles d'espérance. Des points de contact, des réseaux se sont créés. On allume des lampions dans des impasses où l'on cause toujours des vieux idéaux. L'espoir luit dans des milliers de veilleuses et la vie continue même dans le sommeil, même dans la nuit.

Louis Gill

Pour le socialisme, aujourd'hui comme hier

Louis Gill a été professeur au département de sciences économiques de l'Université du Québec à Montréal (UQAM) et militant au syndicat des professeurs de cette université de 1970 à 2001. Il est l'auteur de nombreux écrits sur des questions économiques, politiques et sociales, dont Économie mondiale et impérialisme *et* George Orwell, de la guerre civile espagnole à 1984. ■

Mon itinéraire politique

MON ITINÉRAIRE POLITIQUE plonge ses racines dans une adhésion spontanée au socialisme au cours de mes études collégiales. Né à Montréal en 1940, sur la rue Laurier en face du parc du même nom, dans une famille sans le sou, au cœur du milieu fort modeste qu'était alors le Plateau Mont-Royal, j'ai fait dans les années 1950, grâce aux revenus durement gagnés de ma mère, mes études collégiales dans un des collèges privés les plus bourgeois de Montréal, où j'ai vécu quotidiennement le clivage entre les classes sociales. Je précise pour le jeune lectorat d'aujourd'hui qu'il n'y avait pas encore en ce temps au Québec de collèges publics, qui n'ont vu le jour qu'à la fin des années 1960 comme produits de la démocratisation de l'éducation issue de la Révolution tranquille. L'intense activité syndicale des années 1950 (grèves de Dupuis Frères et de Louiseville en 1952, Marche sur Québec contre les lois anti-ouvrières de Maurice Duplessis en 1954, Manifeste au peuple du Québec adopté par le congrès de Joliette de la Fédération des unions industrielles du Québec – ancêtre de la FTQ – en 1955, fondation de la FTQ en 1957, de la CSN en 1960, grève de Murdochville en 1957 et débat sur la construction d'un parti politique des classes laborieuses), dont je ne pouvais évidemment pas encore saisir toute l'importance, mais dont je commençais à lire les échos dans les journaux, ont aussi grandement contribué à fonder mon orientation politique.

De nombreux écrits m'ont marqué au cours de cette période, parmi lesquels ceux d'André Malraux et d'Albert Camus, *La condition humaine* et *L'homme révolté* pour ne mentionner que les principaux, et aussi, il va sans dire, les classiques du socialisme comme le *Manifeste* de Marx et Engels. Mais ce n'est qu'une quinzaine d'années plus tard, au début des années 1970, que j'ai entrepris une étude sérieuse et systématique des œuvres des deux grands fondateurs du socialisme, en commençant par *Le Capital* de Marx, et que je suis devenu marxiste comme tel, au sens où, pour se réclamer du marxisme, il faut d'abord en comprendre les fondements.

Au terme de mes études collégiales en 1957, poussé par l'attrait qu'exerçaient sur moi les mathématiques, je me suis engagé dans des études d'ingénieur à l'Université McGill, mais deux ans avant la fin de ces études, j'avais acquis la conviction que mon véritable intérêt se trouvait du côté des questions sociales. J'ai néanmoins terminé mes études et obtenu mon diplôme d'ingénieur en 1961. J'ai exercé ensuite la profession pendant un peu plus d'un an, pour enseigner par après les mathématiques dans divers établissements. Cela m'a donné les moyens financiers d'entreprendre simultanément de nouvelles études, d'abord en sociologie, puis en sciences économiques, à l'Université de Montréal pour ce qui est de la maîtrise, obtenue en 1966, puis à l'Université Stanford en Californie, où j'ai passé trois ans, de 1967 à 1970, et obtenu mon doctorat.

Au cours de mes années d'études à la maîtrise, j'ai été attiré, sans toutefois y adhérer, par le Parti socialiste du Québec (PSQ). Le PSQ était au cœur du débat politique sur la double question du lien organique entre le mouvement syndical et le parti des travailleurs, et l'autonomie d'un tel parti au Québec face au mouvement ouvrier pancanadien et son bras politique, le Nouveau parti démocratique (NPD) qu'il venait de contribuer à fonder en 1961. Au centre de cet écheveau se trouvait bien entendu la question nationale du Québec. Je n'étais absolument pas conscient à ce moment-là de toutes ces dimensions de ce qui est finalement la question politique fondamentale au Québec et au Canada. J'étais attiré intuitivement vers le PSQ et je ne pouvais évidemment pas soupçonner que les questions politiques dans lesquelles j'allais m'investir pleinement à partir du milieu des années 1970 en tant que militant trotskyste étaient posées dans l'existence même de ce parti. Les années 1960 avaient vu naître un puissant mouvement indépendantiste, incarné principalement par le Rassemblement pour l'indépendance nationale qui m'a aussi influencé, mais auquel je n'ai pas adhéré formellement, ayant réussi à résister en quelque sorte au fort magnétisme des discours enflammés de son grand tribun qu'était Pierre Bourgault. J'ai par contre adhéré en 1964 au mouvement Parti pris, qui n'était ni un parti ni un rassemblement large, mais plutôt un cercle de discussion, d'élaboration et de publication d'une revue, dirigé par de jeunes intellectuels défendant une orientation fondée sur le socialisme et l'indépendance. Ma participation à ce mouvement a toutefois été brève et plutôt marginale.

L'Université Stanford, où j'ai fait mes études doctorales de 1967 à 1970, était à l'époque, et est toujours, une des universités privées les plus bourgeoises et les plus riches des États-Unis et, pourrait-on dire, du monde. Contrairement à l'université voisine de Berkeley, université d'État qui a historiquement été plutôt agitée, secouée notamment par le Free Speech Movement du milieu des années 1960, la richissime Stanford, avait été jusque-là le prototype de l'université rangée, où les étudiants étudiaient et les professeurs professaient, comme dit l'adage. Le hasard a voulu que les trois années de mon séjour à Stanford aient été trois années d'une intense activité militante étudiante, qui a pris son envol au cours de la première année, d'abord à l'occasion de l'assassinat de Martin Luther King au printemps

1968, mais surtout à l'occasion du recrutement sur le campus même de futurs officiers de l'armée des États-Unis par le Reserve Officers Training Corps (ROTC). Est-il nécessaire de rappeler que cette provocation avait lieu au moment où les combats faisaient rage au Vietnam, que les États-Unis tentaient par tous les moyens d'écraser pour asseoir leur domination impérialiste sur l'Asie du sud-est ? La mobilisation étudiante contre la présence du ROTC sur le campus a été le point de départ d'une sensibilisation au rôle clé joué par l'université elle-même dans l'engagement militaire des États-Unis, tant par la recherche militaire de pointe qui y était effectuée que par son implication directe dans le complexe militaro-industriel, par les liens entretenus au sein de ce complexe par les quelque 20 membres de son bureau de direction (*board of trustees*), tous des hauts dirigeants des plus grandes multinationales dont les intérêts économiques en Asie du sud-est comme ailleurs dans le monde ne laissaient aucun doute. Pour ne citer que quelques noms : Edmund Littlefield de General Electric, Richard McCurdy de Shell Oil, Charles Ducummun de Lockheed, Gardiner Symonds de Tenneco, Arthur Stewart de Union Oil of California, Lawrence Kimpton de Standard Oil of Indiana, William Hewlett et David Packard de Hewlett-Packard. La symbiose entre ce beau monde et le militaire peut aussi être illustrée par le fait que David Packard a été nommé secrétaire adjoint à la Défense par le président Richard Nixon en 1968.

La mobilisation étudiante a pris une ampleur insoupçonnée au printemps 1969 avec la création d'un mouvement connu comme le Mouvement du 3 avril (April 3rd Movement) qui a mené à une grève générale avec l'occupation pendant dix jours d'un des principaux lieux de la recherche militaire sur le campus, le laboratoire d'électronique appliquée (Applied Electronics Laboratory), dont les activités ont été paralysées au cours de cette période et dans la cour extérieure duquel la célèbre économiste britannique Joan Robinson, alors en visite à Stanford, donnait ses conférences. La mobilisation a augmenté encore d'un cran au printemps 1970, pour devenir ouvertement violente, en riposte à l'invasion du Cambodge et aux bombardements qui s'étendaient dès lors au Laos et à la Thaïlande. Pendant plusieurs nuits, des affrontements entre des groupes d'étudiants et la police antiémeute ont eu lieu, aux terme desquels la quasi totalité des immeubles de l'université avait subi d'importants dommages. Je tiens à préciser que si j'ai activement participé aux grèves, au piquetage et aux occupations, je n'ai pas participé à ces opérations de saccage.

Avec le recul, je peux dire aujourd'hui que c'est au cœur même de l'impérialisme, lors de mon séjour à Stanford, que j'ai été concrètement sensibilisé à cette réalité. C'est aussi pendant ce séjour que j'ai découvert la réalité du racisme, d'abord dans le profond fossé que j'avais sous les yeux entre la ville blanche et riche de Palo Alto, capitale de la *silicon valley* à laquelle Stanford est adjointe et où j'ai habité, et le ghetto noir délabré et indigent d'East Palo Alto, séparé d'elle par l'autoroute à huit voies qui relie San Francisco et Los Angeles. J'ai aussi été sensibilisé à cette réalité du racisme par le mouvement des Black Panthers, dont les dirigeants connus étaient, entre autres, Huey Newton, Bobby Seale et Eldridge Cleaver, qui était surtout concentré en Californie, où j'ai eu l'occasion de participer à plusieurs de ses rassemblements et de lire régulièrement sa presse.

Mon éloignement du Québec pendant ces trois années et mon engagement dans la mobilisation universitaire à Stanford ne m'ont pas empêché de suivre de là-bas avec beaucoup d'attention les développements politiques du Québec, de sorte que je savais exactement, avant de prendre le chemin du retour, où j'allais militer en revenant. Dès mon arrivée, je suis donc allé directement vers le FRAP (Front d'action politique des salariés de Montréal) et suis devenu membre d'un de ses CAP (comité d'action politique), celui du quartier où je me suis installé provisoirement au retour avec ma famille, le CAP Côte-des-Neiges. Je me suis aussi joint à un cercle de lecture du *Capital*, comme il en existait plusieurs à cette époque, la plupart influencés par l'orientation maoïste, alors très forte en raison des développements politiques en Chine, qui ont donné lieu à ce qui a été appelé la « révolution culturelle prolétarienne » de la deuxième moitié des années 1960. Mais j'ai aussi et surtout été catapulté dans l'action syndicale avec la fondation, à l'automne 1970, du Syndicat des professeurs de l'UQAM (SPUQ) affilié à la CSN, à la direction duquel j'ai occupé divers postes au cours des premières années, marquées notamment par deux importantes grèves, la première en 1971, qui a duré deux semaines et demie, et la deuxième qui a duré quatre mois, d'octobre 1976 à février 1977.

Pleinement engagé dans l'action syndicale au niveau du SPUQ et dans les instances de la CSN, j'ai d'abord mis un terme à ma participation au cercle de lecture du *Capital*, dont le dogmatisme des participants influencés par le maoïsme me rebutait, pour poursuivre seul ma lecture et ma réflexion sur le marxisme. J'ai aussi délaissé le FRAP qui, se relevant difficilement du coup de massue qui lui avait été porté lors des élections municipales de 1970 à Montréal, en pleine crise d'Octobre, à la suite des enlèvements par le Front de libération du Québec (FLQ) du diplomate britannique James Richard Cross et du ministre libéral Pierre Laporte, et de l'assassinat de ce dernier, a rapidement évolué vers un lieu d'affrontement stérile entre groupes politiques sans lien organique avec le mouvement ouvrier organisé. Et c'est en tant que militant syndical, délégué de mon syndicat au Conseil central de Montréal de la CSN, que j'ai été amené à m'impliquer dans une initiative qui a finalement été déterminante pour mon évolution politique ultérieure.

Cette initiative s'appuyait sur les acquis du FRAP, dont le projet d'une action politique des travailleurs à Montréal avait reçu l'appui du seul Conseil central de la CSN, pour proposer un projet du même type s'appuyant non plus sur la seule instance montréalaise de la CSN, mais sur une action concertée des instances des trois centrales, CSN, FTQ et CEQ, au sein du Comité régional intersyndical de Montréal (CRIM). Les premières étapes du projet ont effectivement été franchies. Un projet de programme de revendications spécifiques de la population travailleuse en matière de logement, de transport urbain, de loisirs, etc., a été élaboré, ainsi qu'un projet de démocratie ouvrière au sein de comités de quartiers. On a donné à l'organisation émanant du mouvement syndical qui serait porteuse de ce programme le nom de Regroupement Action-Montréal. Cependant, le projet comme tel ne devait jamais voir le jour. Sous la forte influence du Parti québécois, qui craignait la force d'entraînement qu'aurait eue inévitablement sur la scène nationale la naissance d'un parti des travailleurs sur la scène municipale, et avec la complicité des directions ouvrières qui étaient partisanes d'un appui au Parti québécois sur la scène nationale, on a purgé le projet de son contenu ouvrier spécifique pour le transformer en un projet « citoyen » qui a donné naissance au Rassemblement des citoyens de Montréal. L'expérience avait été un échec quant à l'objectif de départ du projet, mais elle m'avait permis de faire la rencontre des militants avec qui j'ai combattu pour la défense de cette orientation fondée sur l'unité d'action des organisations des travailleurs et leur nécessaire action autonome sur le terrain politique. Ces militants m'ont appris que ces principes étaient ceux du trotskysme et je me suis rendu compte que, comme le bourgeois gentilhomme de Molière qui faisait de la prose sans le savoir, je faisais intuitivement du trotskysme sans le savoir. Après avoir travaillé étroitement avec eux au sein notamment du Regroupement des militants syndicaux (RMS), que nous avons fondé en mai 1974, je me suis définitivement joint à eux l'année suivante au sein de l'organisation qu'ils venaient de fonder, le Groupe socialiste des travailleurs (GST) [1], et j'en suis demeuré membre jusqu'à sa dissolution en 1987.

1. De sa naissance en 1974 jusqu'à son 4e congrès en 1979, le GST, principalement implanté au Québec, a porté le nom de Groupe socialiste des travailleurs du Québec (GSTQ), même s'il avait été fondé avec la perspective de construire une organisation pancanadienne face à l'État fédéral canadien qui constitue l'instrument central de la domination de la classe ouvrière à l'échelle du Canada et de l'oppression nationale du Québec. Le changement de nom qui est intervenu en 1979 traduit l'intensification des efforts que le groupe entendait alors engager pour se construire à l'échelle du Canada, à partir des acquis de sa construction au Québec au cours des cinq premières années de son existence. J'ai écrit une histoire du GSTQ, qui a été publiée en deux parties dans le *Bulletin d'histoire politique*, dans ses numéros de l'hiver et du printemps 2006.

Indépendance de classe et indépendance du Québec

Pendant toutes ces années, en tant que membre de cette organisation, j'ai défendu le point de vue selon lequel la question centrale qui se pose dans chaque pays et à l'échelle mondiale est celle de la nécessité de la construction du parti de classe, du parti révolutionnaire mondial, c'est-à-dire de l'Internationale, sans lequel la classe ouvrière est démunie face à un système d'exploitation qui est structuré, lui, à l'échelle mondiale, et que la construction de ce parti passe par l'unité d'action des organisations ouvrières, par leur indépendance face au patronat, aux partis des classes possédantes et à l'État, et par l'action politique autonome des travailleurs pour la défense des revendications immédiates. À une époque où la classe possédante et gouvernante cherche constamment à revenir sur les acquis démocratiques et sur les conquêtes des travailleurs, la lutte pour les revendications les plus élémentaires, comme l'amélioration des conditions de vie et de travail, pose directement la question du pouvoir et celle du régime lui-même, parce que ce régime est incapable de donner satisfaction aux revendications des travailleurs, des étudiants, des femmes et de l'ensemble des couches défavorisées de la population, alors qu'il accorde de plus en plus d'avantages aux nantis. Nous en déduisions que la lutte pour les revendications immédiates est objectivement une lutte contre le capitalisme et pour le socialisme et que le parti des travailleurs, dont le programme est celui de la défense de ces revendications, est la voie transitoire de la construction du parti de la révolution socialiste. La méthode de construction du parti telle que la concevait le GST n'avait donc rien à voir avec celle dont se réclamaient alors ses détracteurs « de gauche », les groupes staliniens maoïstes qui se paraient de l'étiquette « marxiste-léniniste », pour qui il suffisait en quelque sorte de décréter l'existence du parti et d'en recruter les membres par la « lutte idéologique » ou l'agitation et la propagande, en marge du mouvement des travailleurs, en les encourageant notamment à quitter leurs organisations qualifiées de réformistes pour rejoindre le « parti ».

En tant que membre du GST, j'ai également soutenu que, comme en font foi les faits historiques, le fédéralisme canadien s'est construit contre les aspirations démocratiques et nationales des peuples vivant sur le territoire, dont le peuple du Québec, et que les aspirations démocratiques et nationales du Québec constituent de ce fait une puissante menace dressée contre l'État centralisateur fédéral. La satisfaction de ces aspirations ne pouvant être réalisée que par la liquidation du fédéralisme : la lutte pour la séparation, pour l'indépendance, pour la République libre du Québec devenait ainsi une dimension fondamentale du combat de la classe ouvrière contre l'État fédéral. L'oppression nationale, disions-nous, est un pilier de l'État fédéral ; la question nationale, un levier de sa destruction.

Des bouleversements majeurs

Fondé en 1974, le GST était né pour ainsi dire dans la foulée et à la faveur de l'importante remontée de la combativité ouvrière qui se manifestait alors partout dans le monde depuis le milieu des années 1960, impulsée notamment par la grève générale de 1968 en France et par la montée simultanée de la révolution politique en Tchécoslovaquie contre la bureaucratie stalinienne, qui allait s'effondrer 20 ans plus tard. Ses expressions les plus vives au Québec ont été la grève au journal *La Presse* et la grande manifestation des trois centrales syndicales – qui a été son point culminant en octobre 1971 [1], à la suite de laquelle le président Louis Laberge de la FTQ parlait de « casser le régime » –, la grève unitaire des secteurs public et parapublic en 1972, les débrayages massifs sur tout le territoire et dans tous les secteurs à la suite de l'emprisonnement des dirigeants des trois centrales, la prise de contrôle temporaire du pouvoir local par les travailleurs dans certaines villes, dont Sept-Îles, la défiance d'injonctions et de lois spéciales, la mise sur pied d'un Front commun permanent à

---

1. Cette manifestation, marquée par une rare violence policière, avait donné lieu à 200 arrestations ; près de 200 personnes ont été blessées et une personne a perdu la vie.

Joliette, la publication d'un *Manifeste des grévistes*, des documents *Ne comptons que sur nos propres moyens* de la CSN et *L'État rouage de notre exploitation* de la FTQ, etc. Partout dans le monde se posait à la faveur de grandes mobilisations la question suivante : Qui doit gouverner la société et au compte de qui ?

Mais un tournant majeur dans la situation économique et politique mondiale était sur le point de survenir, comme conséquence et expression de l'épuisement des conditions exceptionnelles de croissance de l'après-Deuxième Guerre mondiale. Déjà de profondes tensions s'étaient manifestées au tournant des années 1970, qui avaient donné lieu à l'effondrement du système monétaire mis en place à Bretton Woods en 1944. Puis, après une période de quelque 30 années d'une croissance ininterrompue, l'économie mondiale connaissait en 1974-1975 une première crise depuis celle de 1929, et l'apparition du phénomène jusqu'alors inconnu de la *stagflation* (coexistence de la stagnation et de l'inflation) sonnait le glas des politiques keynésiennes auxquelles tant de théoriciens et de politiciens avaient attribué à tort les succès économiques des années qu'on a appelées les « trente glorieuses ». Les politiques de libéralisation et de déréglementation qui se sont généralisées à partir du début des années 1980 ont favorisé une internationalisation accrue des processus de production et la mondialisation des circuits financiers, supprimant les bases naturelles d'une gestion keynésienne nationale de l'économie et heurtant de front par le fait même les programmes des organisations traditionnelles de la classe ouvrière qui s'en réclamaient. Celles-ci, et au premier titre les partis social-démocrates, ont tourné le dos à leurs traditions fondatrices, à la perspective défendue jusqu'alors d'une réforme sociale du capitalisme et à la défense des plates-formes interventionnistes et redistributives, pour se repositionner en faveur de ce qu'ils ont appelé une « troisième voie » entre la gauche et la droite, comme le New Labour britannique, et une prise en charge d'une défense des besoins de l'entreprise privée désignée comme incontournable dans le nouveau contexte de la mondialisation.

Après avoir promu et géré pendant trois décennies des politiques qui ont permis, grâce aux conditions exceptionnelles qui existaient alors, des améliorations soutenues des conditions de vie et de travail, les partis ouvriers se sont mis à gérer les politiques néolibérales qui avaient provoqué des reculs sur tous les plans. Cela les a menés à une collision frontale avec les membres et militants qui les ont construits et portés au pouvoir, ouvrant par le fait même une crise historique. Dans deux excellents livres [1] dont je reprends ici à mon compte les analyses, le politologue Serge Denis parle à cet effet d'un « épuisement programmatique », d'une véritable impasse et de la nécessité d'un recommencement politique. Il voit dans la vague généralisée de grèves dirigées par les syndicats contre la politique de revenus du gouvernement travailliste de James Callaghan en Angleterre au cours de l'hiver 1978-1979, caractérisé comme le *winter of discontent*, le signe probant de ce que le rapport entre le monde du travail et son parti traditionnel était non seulement soumis à de fortes tensions, mais qu'il était en voie de modification profonde. Le mécontentement prenait l'allure d'une fronde de la base et des militants contre le gouvernement issu d'un parti que les syndicats avaient pourtant formé et dont ils étaient membres. L'exemple britannique, écrit Denis, a eu valeur de modèle. Il a exprimé de manière spectaculaire une réalité qui se profilait partout, même si les formes et les rythmes ont pu varier. Partout, les politiques des partis social-démocrates ont été radicalement infléchies, tournant le dos à la défense des espoirs et des demandes de leurs électorats traditionnels.

Le Québec, où il n'y a pas de partis ouvriers, mais où le Parti québécois se présentait à ses débuts comme « ayant un préjugé favorable aux travailleurs » et bénéficiait d'un appui évident, ouvert ou tacite, des organisations ouvrières, a lui aussi connu son *winter of discontent*, l'hiver de 1982-1983, au cours duquel le gouvernement s'est livré à une rare attaque contre les syndicats. Par des décrets et des lois spéciales d'une extrême sévérité, il avait imposé des réductions de salaires de 20 % sur trois mois aux

---

1. Serge Denis, *Social-démocratie et mouvements ouvriers. La fin de l'histoire ?*, Montréal, Boréal, 2003, et *L'Action politique des mouvements sociaux d'aujourd'hui. Le déclin du politique comme procès de politisation ?*, Québec, Les Presses de l'Université Laval, 2005.

employés des secteurs public et parapublic et une désindexation partielle de leurs régimes de retraite, créant ainsi une profonde fracture qui signait la fin d'une période dans les rapports entre les syndicats et le parti qu'ils avaient largement contribué à porter au pouvoir.

Dix ans après le tournant néolibéral de 1979-1980, l'événement politique majeur qu'a été l'effondrement, de 1989 à 1991, des régimes bureaucratiques staliniens de l'Union soviétique et de ses satellites de l'Europe de l'Est, est venu donner une nouvelle impulsion aux politiques conservatrices, a ouvert au capitalisme mondial un nouveau champ de déploiement dans cette partie du monde où le capital avait été exproprié et renforcé l'hégémonie économique, politique et militaire des États-Unis dans le monde. La chute de ces régimes assimilés à tort au socialisme a par ailleurs été perçue par plusieurs comme la démonstration de la faillite de l'économie planifiée et de la viabilité de la seule économie de marché, ce qui a contribué à éloigner encore davantage du socialisme les millions de travailleurs et de travailleuses qui en avaient été repoussés par le dramatique travestissement qu'en avait fait le stalinisme, tant dans les pays capitalistes que dans les pays qui avaient été jusqu'alors ou qui étaient encore soumis à la dictature de la bureaucratie.

Un recommencement politique nécessaire

Ces développements des deux dernières décennies du XXe siècle ont eu de profondes conséquences. Les grands partis traditionnels du mouvement ouvrier, les partis de la social-démocratie fondés à la fin du XIXe siècle, ont cessé d'être un lieu de constitution des travailleurs salariés et des défavorisés en classe sociale, d'élaboration et de défense des revendications ouvrières et populaires. Ne peuvent, non plus, prétendre à ce rôle les partis communistes fondés à partir de 1919 dans le cadre de la IIIe Internationale, aujourd'hui remodelés ou « refondés », mais totalement discrédités après avoir été dénaturés par 60 ans de stalinisme. Les deux grandes tendances du mouvement ouvrier du xxᵉ siècle n'assument plus cette fonction. Les partis qui leur sont rattachés ou qui s'en réclament sont devenus de simples partis de gouvernement axés sur la promotion de l'ordre capitaliste. Pour reprendre les termes employés par Serge Denis, le moment actuel n'est pas un simple épisode d'instabilité, de mécontentement au sein des partis du mouvement ouvrier, de faiblesse programmatique. Il ne saurait être vu comme une simple crise d'orientation ou de direction. Il faut le saisir comme un moment de tarissement et d'extinction de leur caractère ouvrier, de disjonction d'avec leur fonction d'origine, en somme comme un moment de déliquescence de ces partis en tant que partis ouvriers.

Peut-on, dans la recherche d'une solution, s'inspirer de celle que le mouvement ouvrier révolutionnaire avait apportée à la faillite de la IIᵉ Internationale, dont la quasi totalité des partis s'étaient associés aux partis bourgeois de leurs pays respectifs dans le vote des crédits de guerre à la veille de la Première Guerre mondiale ? Rappelons que cette solution avait été la création en 1919 d'une nouvelle Internationale, l'Internationale communiste, dont les partis à construire étaient conçus comme des partis voués, tout en œuvrant à devenir des partis de masse, à ne rassembler au départ que la minorité politiquement avancée de la classe ouvrière. Quel qu'ait pu être le bien-fondé de cette avenue dans la situation politique de l'époque, et quels que soient les efforts que j'ai investis avec d'autres au sein du mouvement trotskyste pendant 15 ans dans les années 1970 et 1980, il est clair que la reconstitution politique du mouvement ouvrier ne saurait passer aujourd'hui par une tentative de mise sur pied d'un tel parti.

L'impasse dans laquelle nous sommes, si dramatique soit-elle, ne saurait non plus être comparée à celle des années 1930, alors que les organisations du mouvement ouvrier ont été éradiquées par le nazisme et le fascisme en Europe et par le stalinisme en URSS et que leurs militants et dirigeants étaient emprisonnés et liquidés physiquement. L'impasse actuelle des organisations du mouvement ouvrier n'est pas synonyme de paralysie du mouvement de masse. Celui-ci s'exprime au contraire à l'intérieur de ces organisations par la contestation de leurs politiques, mais aussi de plus en plus de manière autonome face à elles, par l'action collective au sein d'une multitude de mouvements sociaux axés sur diverses formes de luttes contre la domination et l'exploitation, et pour l'élargissement des droits fondamentaux : mouvements pacifistes et altermondialistes, mouvements de défense de l'environnement, des droits des femmes, des assistés sociaux, des minorités ethniques, des handicapés, des homosexuels, de lutte contre le chômage, contre la pauvreté, pour l'accès au logement, etc.

Enjeux et défis

L'enjeu clé est donc celui de la canalisation de cette nébuleuse de mouvements, de son unification et de sa jonction nécessaire avec le mouvement ouvrier dans un processus de recomposition politique d'une entité collective des salariés et des défavorisés, pouvant se porter candidate au pouvoir. Le défaut de relever ce défi, tant au niveau international dans le cadre du mouvement altermondialiste qu'au niveau national, signifierait une fragmentation politique, une dispersion de l'intervention politique en actions autonomes et particularisées de groupes de pression agissant seuls ou en alliance, avec le seul objectif d'influencer les décisions économiques et sociales des pouvoirs publics dont la conquête ne serait pas visée, dans une logique circonscrite à la revendication et à l'opposition. On le sait, la culture politique des mouvements sociaux les a jusqu'ici plutôt éloignés de la politique entendue comme course au pouvoir d'État et a favorisé le développement de simples actions de pression sur les autorités publiques en vue d'influencer leurs décisions. Leur attachement à la démocratie de base, comme l'écrit Serge Denis, et leur rejet de la hiérarchie, tout autant que l'expérience des gouvernements « de gauche » du passé récent et l'histoire des partis ouvriers, du stalinisme en particulier, tendent à les éloigner de l'idée même d'intervenir directement sur le terrain du pouvoir. Mais, poursuit-il, leur éventuel refus de se saisir de la problématique du pouvoir politique équivaudrait à diminuer la portée de leur existence, contraindrait pour l'essentiel leur action politique aux pratiques du lobby traditionnel, brisant en quelque sorte la dynamique de leur propre évolution. Leurs luttes visant à faire obstacle aux phénomènes de domination et d'exploitation, leur résistance aux politiques des pouvoirs économiques, politiques et militaires les prédisposent au contraire progressivement à des engagements d'envergure plus générale quant aux orientations qui s'offrent aux sociétés, sur les plans national et international.

Si significative soit la contribution à souhaiter des mouvements sociaux à un processus de recomposition politique des salariés et des défavorisés, celle-ci ne saurait par contre se concevoir sans une participation décisive du mouvement ouvrier, le rapport social déterminant au sein de la société demeurant celui de l'activité de travail, dont la composante principale est le salariat, nonobstant l'importance accrue prise au cours des années par le travail autonome. Il faut donc trouver les formes appropriées de la jonction entre mouvement ouvrier et mouvements sociaux. Une formation politique qui se définirait comme écologiste, féministe, égalitariste, altermondialiste, etc., mais qui reléguerait au second plan les revendications relatives au travail serait vouée à l'échec, comme elle serait vouée à l'échec si le mouvement ouvrier n'en constituait pas une composante indispensable, s'il n'en était pas l'ossature principale.

Voilà précisément le défi auquel fait face aujourd'hui au Québec l'initiative politique de Québec solidaire, résultat d'une volonté de divers mouvements de mettre sur pied une formation politique indépendante face aux partis capitalistes, mais à laquelle la participation du mouvement ouvrier se réduit pour l'instant, si on fait exception des adhésions individuelles de syndiqués, au seul soutien du Conseil central du Montréal métropolitain de la CSN. Particulièrement désolante dans ce contexte est l'initiative du « club » des Syndicalistes et progressistes pour un Québec libre (SPQL), créé en 2004 avec l'objectif d'investir le Parti québécois pour l'aider à réaliser la reconstruction, au sein de ce parti, de « la grande coalition souverainiste de l'époque de René Lévesque », ce large éventail d'orientations dont les représentants allaient « du créditiste Gilles Grégoire au syndicaliste Robert Burns ». Rappelons que c'est cette coalition qui a préparé la question piège fédéraliste du référendum de 1980 et qui s'est livrée en 1982-1983 à l'une des plus féroces attaques de l'histoire contre les salariés et leurs syndicats. L'initiative SPQL est diamétralement opposée à celle, absolument nécessaire, de la constitution conjointe des mouvements sociaux et du mouvement ouvrier en force politique autonome. Imaginons l'impact qu'auraient eu ses quelque deux cents militants et dirigeants syndicaux fondateurs si, au lieu de se rassembler au sein du PQ, ils avaient investi leurs énergies et influences à convaincre le plus grand nombre de syndicats et de militants syndicaux d'adhérer au projet de construction d'un parti politique autonome du monde du travail et des organismes populaires et à se joindre à Québec solidaire pour travailler à le réaliser.

L'argument classique invoqué contre l'action politique autonome du mouvement ouvrier et des organisations populaires au Québec est la nécessité de résoudre d'abord la question nationale et, par conséquent, de ne rien faire qui puisse compromettre les succès électoraux du PQ, considéré à tort comme le seul porteur de ce projet sur la scène politique. Pourtant, rien n'exclut la formation d'une coalition ponctuelle, en vue de réaliser la souveraineté, d'organisations syndicales et démocratiques et de partis politiques, parmi lesquels un véritable parti autonome, en construction, du monde du travail et des mouvements sociaux. À preuve, une coalition de ce type, les Partenaires pour la souveraineté, avait été constituée en 1995 à l'occasion du référendum, dont faisaient partie les centrales syndicales et des organismes communautaires et culturels représentant plus d'un million de personnes.

Conclusion

Le principal enjeu de ce début du XXIe siècle est donc, de mon point de vue, celui de l'organisation de la riposte politique à ceux et celles qui détiennent aujourd'hui les pouvoirs politiques et économiques et qui orientent nos destinées en fonction de leurs intérêts, avec les conséquences catastrophiques subies par la vaste majorité de la population. Cette riposte repose sur la formation de nouvelles organisations politiques vouées à la défense des intérêts des travailleurs et travailleuses et des laissés-pour-compte et visant la conquête des pouvoirs publics, et doit être concertée au-delà des frontières. Toutes les occasions d'avancer dans cette voie doivent être saisies, avec la conviction de ce que ce travail est incontournable et que le succès est possible. Dans ce cadre, un débat devra tôt ou tard être mené sur la question de l'axe sur lequel la mobilisation doit être construite et du type de société à construire : doit-on s'en tenir à une lutte contre ce qui pourrait être désigné comme les excès ou les méfaits du « capitalisme réel », avec la volonté de lui substituer un hypothétique « capitalisme civilisé », ou « à visage humain », équitable, dépouillé de ses tares, qui ne reposerait plus sur l'exploitation, les inégalités, le chômage, le travail précaire, la destruction de l'environnement, la famine de populations entières, le militarisme, la négation des droits et libertés, etc., ou doit-on tourner le dos à cette utopie irréalisable pour s'atteler à relever le défi d'un projet collectif d'édification d'une société socialiste démocratique ? Pour fustiger cette alternative et en discréditer le deuxième pôle, les détracteurs du socialisme invoqueront inévitablement l'effondrement du bloc de l'Est survenu à partir de 1989 comme preuve de ce que le premier pas franchi dans la voie du socialisme par la révolution russe de 1917 était nécessairement voué à l'échec, et comme prétention de ce que le socialisme est une utopie. J'estime pour ma part, à la lumière de ce que le capitalisme a démontré jusqu'ici, que c'est le premier pôle de l'alternative qui est insoutenable, qu'un capitalisme civilisé ou à visage humain est une pure utopie, et que la survie du capitalisme réel constitue un risque chaque jour accru pour la survie de l'humanité. Et j'en conclus, toujours avec la même conviction, que l'alternative qui se pose aujourd'hui à l'humanité est, comme les marxistes du début du xxe siècle l'avaient formulée : socialisme ou barbarie !

Françoise David

Pas à pas, nous reconstruisons le monde

Françoise David est bachelière en Service social de l'Université de Montréal et a d'abord travaillé comme organisatrice communautaire dans le quartier Centre-Sud de Montréal, puis au Centre des services sociaux de Montréal. Elle fut membre de l'organisation En lutte! Elle est devenue coordonnatrice au Regroupement des centres de femmes du Québec. En 1994, elle a été élue présidente de la Fédération des femmes du Québec. À ce titre, elle a organisé la Marche des femmes contre la pauvreté « Du pain et des roses » en 1995 et la Marche mondiale des femmes contre la pauvreté et la violence en l'an 2000. Elle est actuellement co-porte-parole de Québec solidaire. Normand Baillargeon a recueilli ses propos et rédigé ce texte. ∎

J'AI ACCEPTÉ DE RÉPONDRE aux questions de Jean-Marc Piotte et de Normand Baillargeon parce que leur projet me paraissait intéressant : demander à des militantes et militants de raconter leur parcours, de dire comment et pourquoi elles et ils en sont venus à vouloir transformer le « désordre des choses ». Mon seul but, en me racontant, est de donner à d'autres le goût de militer. Car militer est non seulement une expérience de solidarité profonde, c'est aussi une nécessité pour que nos enfants et nos petits-enfants vivent dans une société plus juste, plus égalitaire et plus écologiste.

Je raconte d'abord comment j'en suis venue à militer et mon parcours jusqu'à aujourd'hui. Puis, je tente de cerner les moments charnières de ce parcours et les valeurs auxquelles j'adhère. Enfin, tout à fait modestement, j'essaie de tracer un bref bilan des 20 dernières années de militantisme de gauche au Québec tout en imaginant des pistes pour l'avenir.

D'une enfance privilégiée
à une jeunesse militante

Pour raconter le parcours ayant conduit à ma politisation, c'est tout naturellement à mon enfance que je repense d'abord. Cette politisation s'est faite doucement, petit à petit et avant tout par une prise de conscience des injustices sociales. Il me semble en tout cas, et cette idée est restée importante chez moi, qu'avant même d'analyser, il faut se sentir touché par une situation.

Je suis originaire d'un milieu privilégié et, dans l'environnement immédiat où s'est déroulée mon enfance, il n'y avait pas d'injustices flagrantes. Mais j'avais des parents conscients des inégalités sociales, et qui nous rappelaient que nous, leurs enfants, étions privilégiés. Nous apprenions ainsi, et cette prise de conscience s'est faite alors que nous étions assez jeunes, que si nous avions ces privilèges, d'autres, par définition, ne les avaient pas.

Tout cela reste cependant, pour commencer, de l'ordre du sentiment, relève de la révolte et de l'indignation, sentiments qui se manifestent sans que l'on comprenne réellement les raisons ainsi que toute la signification des injustices les faisant naître. Cela viendra ensuite et, sur ce plan, l'entrée au collège, alors que j'ai 17 ans, marque une étape importante.

Je suis au collège divers cours – d'économie, de politique, de sociologie – qui m'ouvrent de nouveaux horizons. Je lis les journaux, en particulier *Le Devoir*, auquel on est abonné à la maison. Je deviens bientôt rédactrice en chef du journal du collège et je me souviens avoir écrit en éditorial qu'il « faudrait franchement que les bourgeois partagent leurs richesses ». Mais, à ce moment, j'ai des bourgeois une image plus inspirée de la chanson de Brel que des idées de Marx.

Je poursuis ensuite mon parcours scolaire à l'Université de Montréal, afin d'y étudier en service social. Je choisis cette voie tout simplement parce qu'elle me permet d'aider des gens. Deux options nous sont proposées : le travail clinique ou le travail communautaire. J'opte pour la deuxième, sans aucune hésitation.

C'est l'un des meilleurs et des plus beaux choix de ma vie. Je n'ai rien, bien au contraire, contre le travail clinique ; mais ce que j'aime faire, c'est réunir des gens et lutter concrètement, avec eux et pour eux.

Durant ces années, mon engagement et mes convictions deviennent plus articulés. Pour une part, cet approfondissement correspond avec la crise d'Octobre et le début des Comités d'action politique. Je garde encore le souvenir d'un étudiant de ma classe qui faisait son stage au CAP Maisonneuve. Il revenait les bras chargés de documents. Ce garçon me dit : « Françoise, tu es très humaniste, mais tu manques un peu d'analyse politique. » Il a raison : je me place spontanément du côté des pauvres, des exclus, des exploités, mais je ne connais pas beaucoup de ces concepts qui aident à affiner une véritable analyse. Je commence donc à lire des ouvrages d'inspiration marxiste – ce sont parfois des lectures que ce camarade me suggère. Nous fondons ensemble un Comité d'action politique en service social, au sein duquel nous développons une analyse de type marxiste des services sociaux, examinés et critiqués comme outils de contrôle étatique. Le CAP existera durant deux ans. À la même époque, je travaille aussi comme organisatrice communautaire dans le quartier Centre-Sud de Montréal. Avec quatre copines, nous mettons sur pied le Centre de référence et d'information Centre-Sud. Nous offrons de la formation aux groupes populaires, nous faisons du théâtre militant, nous publions un bulletin où nous nous questionnons sur les luttes ouvrières et populaires du quartier.

Vers 1975, comme le Parti québécois me semble alors trop timide, insuffisamment engagé envers les pauvres et les exploités, je me rapproche de groupes rencontrés au Comité de solidarité aux luttes ouvrières et populaires – notamment des militants du futur En lutte ! et du futur Parti communiste ouvrier.

Je me sens vite plus proche des premiers, qui respectent les jeunes travailleuses que nous sommes alors, militant dans les quartiers populaires. Tout en continuant mon travail de terrain, j'entre donc dans une « cellule ». J'y côtoie essentiellement des gens de terrain : c'est une grande chance. Je reste cependant moyennement intéressée aux analyses théoriques qu'on nous propose. Je devais par exemple lire la revue *Unité prolétarienne* et je me souviens m'être souvent fait reprocher mon constant retard dans mes lectures. Et quand je repense aujourd'hui à cette période, je dois avouer ne pas me rappeler la substance des divergences théoriques de l'époque entre les groupes marxistes-léninistes. Cela dit, mon passage au groupe En lutte! me donne des outils d'analyse, me forme à la prise de parole en public, à l'élaboration de plans de travail et d'évaluation et est un lieu où je développe de belles amitiés. Je peux aussi faire ce que j'aime : rassembler les gens, les inviter à se battre pour plus de justice et d'égalité, convaincre, éduquer, etc.

Je dirais pour conclure cette première partie de mon histoire qu'à ce moment de ma vie, l'ensemble des valeurs fondant mon engagement est à chercher dans un profond refus des injustices et des inégalités sociales. C'est là où j'en suis en 1982, au moment où l'aventure d'En lutte! prend fin. Commencent alors cinq années de recul, de repli, des années qui seront pour moi celles d'un long questionnement personnel et de remises en question, suscitées à la fois par une fatigue intense, une séparation avec un enfant en bas âge, la défaite syndicale dans le secteur public en 1982, la montée de l'individualisme, corollaire inévitable du néolibéralisme, et une grande incertitude quant à ce que je veux désormais accomplir.

Ma rencontre avec le féminisme

C'est en 1987 que je réalise une sorte de synthèse entre des idées m'étant devenues chères et un milieu de travail enrichissant. Je quitte les services sociaux publics et je deviens coordonnatrice du Regroupement des centres de femmes du Québec. Un tournant majeur dans ma vie.

Mais revenons un peu en arrière.

Le féminisme était très peu présent dans les groupes marxistes-léninistes, qui subordonnaient la question des femmes à la question économique ainsi qu'à celle des classes. On véhiculait alors cette idée un peu folle que le socialisme allait donner automatiquement l'égalité aux femmes. La question de l'orientation sexuelle était taboue et le droit à l'avortement était vu comme une lutte bourgeoise. En somme, les femmes n'étaient intéressantes que s'il s'agissait de femmes ouvrières ou provenant de milieux populaires. C'est cette vision réductrice et mutilante qui est contestée à la fin d'En lutte! par mes copines féministes qui, elles, ont lu autre chose que Marx et Lénine et font remarquer qu'il existe une autre contradiction majeure – entre les hommes et les femmes – dans toutes les sociétés, y compris socialistes.

Bien que j'aie travaillé beaucoup avec des femmes de milieux populaires dans les années 1970, la rencontre avec le féminisme se produit pour moi au début des années 1980. Je suis alors engagée dans le mouvement syndical, où je travaillerai jusqu'en 1984, et je m'occupe notamment du Comité de condition féminine à la Fédération des affaires sociales. Mes premiers combats féministes se font à l'intérieur de la Fédération : on y retrouve 75 % de femmes travailleuses, mais jamais plus de 50 % comme déléguées dans les grands conseils fédéraux. À cette époque, je travaille aussi avec le Comité, à tracer les revendications prioritaires en vue de la préparation de la convention collective de 1982, en m'efforçant d'y faire passer les revendications des femmes. Ce sera une bataille rangée, que nous gagnerons par un seul vote. J'y apprends ce que c'est de se battre pour les causes féministes à l'intérieur même des syndicats – qui ne sont pourtant pas des institutions réactionnaires. J'y comprends aussi l'importance des caucus de femmes qui s'entraident, s'encouragent et établissent parfois des rapports de force nécessaires. Ce sont de précieuses leçons.

Mon féminisme se nourrit aussi de lectures, par exemple *Ainsi soit-elle*, de Benoîte Groulx, qui marquera mon imagination. Ou alors une pièce de théâtre comme *Moman travaille pas, a trop d'ouvrage* ou bien un roman comme *Les bons sentiments* de Marilyn French.

En 1987, je deviens donc coordonnatrice au Regroupement des centres de femmes du Québec. Il devient mon milieu de travail et mon milieu de vie. J'y baigne à la semaine longue et j'y revis, littéralement. C'est une nouvelle étape, complètement différente, qui commence. Démocratie, justice sociale, féminisme vont alors s'interpénétrer, car les centres de femmes sont des lieux d'écoute et d'accompagnement des femmes, d'éducation populaire et d'action collective. La plupart rejoignent des femmes pauvres et isolées. Lorsque je deviendrai présidente de la Fédération des femmes du Québec, en 1994, et que le mouvement des femmes organisera la marche des femmes « Du pain et des roses » (1995), les centres de femmes seront au cœur de cette action d'envergure.

Cette marche de 1995 et celle de l'an 2000 (Marche mondiale des femmes) sont pour moi extrêmement inspirantes. Grâce à la marche « Du pain et des roses », le mouvement des femmes redevient un acteur politique et social majeur au Québec. Nous consolidons notre unité. Grâce à la Marche mondiale, j'ai la possibilité de mieux comprendre les rapports entre néolibéralisme et patriarcat. Je rencontre des militantes passionnées et passionnantes de plusieurs pays du monde. Nous apprenons comment travailler ensemble sans gommer nos différences et nos divergences, mais en recherchant nos points communs.

Encore aujourd'hui, je suis très préoccupée par la situation des femmes au Québec et dans le monde. Dans le cadre de la mondialisation néolibérale, les femmes sont plus perdantes que les hommes. C'est plus évident encore dans les pays en développement. Et je suis de plus en plus frappée par la faiblesse de la représentation des femmes dans les cercles de pouvoir. La moitié du monde n'est vraiment pas égale à l'autre moitié ! Et on n'entend pas assez sa voix, ses expériences, son savoir, ses revendications.

L'importance de la démocratie

La chute du mur de Berlin marque également mon imagination. Il faut comprendre qu'avec la fin des groupes marxistes-léninistes, ma réflexion me conduit à rejeter de façon claire le modèle politique que l'on nous présentait comme le meilleur : la dictature du prolétariat avec son corollaire obligé, le parti unique. Si, durant les années 1970, j'ai pu apprécier certains aspects du modèle chinois, j'ai vite déchanté et je me suis rendue compte que ni la Chine, ni l'Albanie, ni les pays du Bloc de l'Est n'avaient quoi que ce soit à voir avec le type de société où je voulais vivre. Cette idée de démocratie est maintenant devenue centrale pour moi. Pourquoi ? Parce que c'est la démocratie qui permet à Québec solidaire d'exister, aux gais et lesbiennes de se marier, aux détenus de voter, aux mouvements contestataires de manifester. Aujourd'hui, je peux dire que je tiens, peut-être plus que tout, à la démocratie. Je veux la protéger partout, aussi imparfaite soit-elle, et j'attache aussi la plus grande importance à la liberté d'expression. Cela est pour moi une conviction ferme.

Par ailleurs, ces dernières années, j'ai été « contaminée » par tous ces jeunes prônant la démocratie participative. Il est vrai que la démocratie représentative a des limites. On sait que la participation citoyenne est essentielle à une démocratie vigoureuse. Il ne suffit pas d'élire des députés ou des députées tous les quatre ans, il faut donner aux gens des lieux de débat et de participation aux décisions. Déjà, ces valeurs étaient très présentes dans le mouvement communautaire et dans les groupes de femmes. Je considère qu'il est très intéressant de voir aujourd'hui d'autres regroupements ou mouvements s'en préoccuper. De plus, et particulièrement au Québec, le combat pour un mode de scrutin faisant une place à la proportionnelle est essentiel afin que chaque vote compte, c'est-à-dire pour que l'Assemblée nationale reflète le pluralisme des idées dans la population.

Vivre ensemble dans le respect de nos différences

J'en viens à mon troisième sujet : les mouvements antiracistes et l'antiracisme plus généralement. C'est aujourd'hui important pour moi, mais ça n'a pas toujours été le cas. Dans ma famille, j'ai bien sûr appris le respect des autres et des valeurs que l'on pourrait qualifier de chrétiennes et d'humanistes. Nous habitions Outremont, où les Juifs hassidiques sont présents et visibles et, pour mes parents, il était primordial de les respecter. Mais, pendant trop longtemps, je n'ai pas suffisamment réfléchi à la question des identités culturelles, ethniques ou religieuses, même si j'avais voyagé et que j'étais curieuse d'apprendre et de mieux comprendre le monde.

La crise d'Oka a eu sur moi d'importantes répercussions. Je serais tentée de dire que, par elle, je frappe un mur : je suis très largement ignorante de la question autochtone. J'entreprends à ce moment-là des démarches pour combler ces lacunes et mieux connaître les Premières Nations. Mon compagnon, professeur d'histoire, m'aide beaucoup. C'est de cette époque que date ma rencontre avec Michèle Rouleau, présidente de l'Association des femmes autochtones du Québec. Elle me fera prendre une réelle conscience de la question autochtone.

Je dois ensuite faire face à la question de la diversité culturelle, car elle est posée par des femmes des communautés culturelles dans le mouvement des femmes. Lors du forum « Québec féminin pluriel », en 1992, puis lors de la marche « Du pain et des roses », des femmes issues des minorités reprochent au mouvement des femmes d'ignorer leurs besoins, leurs revendications et leurs analyses. Elles ont raison. Beaucoup de travail est accompli pour changer la situation. Je dois aux femmes des minorités, ainsi qu'à Alexa Conradi, coordonnatrice de la Marche mondiale des femmes pour le Québec, d'avoir compris qu'il y a un pas de plus que l'antiracisme à franchir. Nous voulons vivre, au Québec, tous et toutes ensemble : comment allons-nous faire ? Jusqu'où la population dite *de souche* s'ouvre-t-elle et doit-elle s'ouvrir à la différence ? Sommes-nous racistes, même sans nous en rendre compte ? Qu'est-ce que l'intégration ? Jusqu'où doivent aller les « accommodements raisonnables » ? Bien d'autres questions encore renvoient à ces balises entre intégration et ghettoïsation, qu'il nous faut dessiner ensemble.

L'écologie, la voie de l'avenir !

Ma rencontre avec le mouvement écologiste est encore plus récente. Pendant des années, je l'ai observé avec sympathie, mais à distance. Lors de la préparation de la Marche de l'an 2000, de jeunes travailleuses sont embauchées et elles sont résolument écologistes. Je découvre de nouvelles pratiques et un nouveau vocabulaire : compostage, nourriture et agriculture biologiques et ainsi de suite. Je n'ai pas tout de suite envie de changer mes habitudes. Mais à force de lire et d'écouter ces personnes, j'en viens à la conviction qu'elles ont raison. Je crois être aujourd'hui une écologiste ; je m'efforce de l'être non seulement en pensée, mais aussi dans l'action collective et dans les gestes de la vie de tous les jours. C'est aussi un sujet dont je parle beaucoup et c'est une valeur fondamentale de Québec solidaire. Je pourrais d'ailleurs dire de toutes ces valeurs que je les ai progressivement intégrées, une à une et tout au long de mon parcours : aujourd'hui, je les revendique toutes et je tente de les intégrer à ma vie de tous les jours… non sans contradictions !

Le combat nécessaire contre le néolibéralisme

Me voici parvenue au dernier thème majeur ayant façonné ma pensée et mon action : le néolibéralisme – et plus exactement le combat mené contre sa propagation.

Je n'ai certainement pas été la première à me rendre compte de ce qui se passait et je dois remercier les plus jeunes pour ma prise de conscience. Les manifestations de Seattle, les actions du groupe SalAMI, au Québec, m'ont beaucoup touchée et m'ont amenée à connaître des organismes comme l'Organisation mondiale du commerce. Tout cela était contemporain du début de l'organisation de la Marche mondiale des femmes et, pour moi, de rencontres avec des femmes de nombreux pays du monde. Un nouveau mot et la terrible réalité qu'il décrit parviennent à mes oreilles : ajustements structurels. Je commence alors à mesurer à quel point je connais mal les structures qui président à l'organisation mondiale du non-partage de la richesse. Certes, j'étais consciente des rapports inégaux entre les peuples : j'avais visité l'Afrique, le Nicaragua, le Pérou, et pas seulement en touriste. Mais je ne connaissais pas d'organisations aussi fondamentales que l'OMC, la Banque mondiale, le FMI, ni leurs rôles. Entre 1997 et 2000 environ, je suis donc ce qu'on pourrait appeler un cours accéléré de *Néolibéralisme 101*. Peu à peu, tout devient beaucoup plus clair.

Surtout, et ceci avec l'aide de textes écrits par d'autres, dont Lorraine Guay, du Comité de stratégie de la Marche mondiale des femmes, j'aboutis à une compréhension et une analyse des rapports entre néolibéralisme et patriarcat.

Aujourd'hui, le combat contre toutes les formes de la mondialisation néolibérale me paraît essentiel. Toutes les formes, cela veut dire :

– la militarisation de la planète ;
– l'hégémonie états-unienne ;
– la domination économique des monopoles industriels et financiers et les désastres humains et écologiques entraînés par les décisions de ces décideurs non élus ;
– la montée du « chacun pour soi », de l'indifférence, de l'individualisme, de l'aliénation déshumanisante provoquée entre autres par des médias complaisants avec les pouvoirs politiques et économiques ;
– l'exploitation des travailleuses, des travailleurs, des paysans et paysannes, des populations autochtones.

Tout cela parce que je crois encore, envers et contre tous les néolibéraux, que « tous les êtres humains naissent libres et égaux en droits et en dignité ».

Au total, j'ai aujourd'hui l'impression d'avoir du monde une vision plus complète, plus globale et, me semble-t-il, moins morcelée, où se conjuguent justice sociale, féminisme, écologie et démocratie. Je n'ai pas la tentation de hiérarchiser ces valeurs et j'ai appris, de mon passage chez les marxistes-léninistes, la dure leçon du danger qu'il y a à chercher à le faire. J'aspire à lutter pour le commerce équitable, les changements structurels aux règles du commerce ; mais en même temps, je crois indispensable de combattre les dictatures théocratiques et la montée des droites conservatrices dans le monde. Les femmes le disaient à la Conférence mondiale de Beijing en 1995 : les deux fléaux qui menacent les humains et plus particulièrement les femmes de la planète, sont la montée des droites politiques et religieuses et le néolibéralisme. Je suis convaincue que la gauche doit mener ces deux combats, l'un contre l'exploitation économique et la militarisation de la planète, l'autre pour une véritable démocratie et le respect des droits humains fondamentaux, individuels et collectifs.

Je reste cependant consciente que dans ce monde imparfait qui est le nôtre, beaucoup de gens luttent pour leur survie quotidienne. Jamais je ne mépriserai des gens qui font passer l'emploi, parce qu'ils en ont tellement besoin, avant le souci écologique. Je comprends leurs difficultés. Mais il faut aussi s'efforcer d'inventer et de proposer des solutions de rechange viables. C'est là, précisément, que se trouve le sens de l'action politique pour moi : développer une vision à long terme des changements structurels à opérer pour que notre monde soit viable et plus juste et proposer le chemin pour y parvenir, un pas à la fois.

Mais pour faire comprendre plus clairement où je me situe à présent, le mieux est peut-être d'en venir maintenant au bilan que je dresse des gains faits et des reculs ayant été subis depuis 30 ans.

Pour de nouvelles propositions économiques

L'économie n'est pas mon premier champ de compétence. Cependant, j'y accorde de plus en plus d'importance à cause de son rôle central dans le développement et surtout le sous-développement de la planète.

Le néolibéralisme règne en maître depuis 25 ans partout au monde. La gauche n'a pas encore réussi à contrer cette idéologie et à combattre efficacement ses effets néfastes. Des social-démocrates désabusés ont même fini par se situer objectivement du côté des néolibéraux, soit par inertie, soit par complaisance, soit par des politiques résolument de droite.

Ce sont les écologistes de gauche qui apporteront peut-être des réponses de plus en plus audacieuses et efficaces pour imaginer un autre monde économique, en travaillant à un développement économique local, respectueux de l'environnement, des droits des populations concernées et des travailleuses et travailleurs. En proposant, en somme, une économie sociale qui existe d'ailleurs déjà dans plusieurs pays et au Québec. Bien sûr, il nous faut être vigilants face à certaines conceptions de l'économie sociale : des emplois de pauvres pour les pauvres. Mais au Québec, comme au Pérou ou au Mali, des expériences formidables de développement local et de démocratie participative laissent entrevoir ce que pourrait être un monde plus égalitaire, plus respectueux, plus démocratique.

Il n'est pas facile de penser le passage global entre le modèle actuel et un modèle économique différent. Comment y arriver ? J'avoue humblement ne pas avoir de réponse ferme et assurée à cette question. Mais est-ce grave ? Ne vaut-il pas mieux expérimenter, débattre, questionner... que de nous asseoir sur des certitudes qui s'avèrent souvent non fondées (comme dans le temps des marxistes-léninistes) ? Ce que je peux dire avec un minimum de confiance, c'est qu'il nous faut accroître nos gains au maximum, aller le plus loin possible et, en même temps, travailler avec rigueur à raffiner notre vision d'un Québec et d'un monde idéal.

J'ai plus haut longuement parlé du féminisme et de ma rencontre avec lui, qui fut centrale dans ma vie. Quel bilan en tirer cette fois sur le plan collectif ? Je dirais que depuis 40 ans, le mouvement des femmes a apporté aux femmes du Québec des changements spectaculaires dans leur vie et que, pour l'essentiel, il s'agit de très belles victoires. Je ne dis pas qu'il n'y a jamais eu d'erreurs – il y en a eu, par exemple, dans certaines prescriptions concernant le vocabulaire ou dans certaines approches qui n'ont pas, en certains cas précis, été toujours assez conviviales. Mais il n'y a pas eu de grosse erreur dans l'ensemble.

Le premier bilan que j'ai proposé, celui de l'économie, était plutôt incertain ; le deuxième est globalement très positif. Pourquoi et comment les mouvements sociaux peuvent-ils obtenir des résultats si différents dans deux sphères où ils ont mené des combats ? La question mérite réflexion.

Peut-être est-ce que cela tient au fait que s'attaquer à l'économie, c'est s'attaquer au cœur même du système. Les puissances économiques, on le sait, sont énormes – aussi énormes en fait que leur collusion avec les gouvernements. On affronte donc ici des intérêts très puissants auxquels il est extrêmement difficile de s'attaquer avec succès. De plus, les mentalités évoluent lentement sur ce sujet. Beaucoup de gens sont critiques du néolibéralisme... mais ils sont convaincus qu'il ne sert à rien de s'y attaquer. En ce sens, les intellectuels de droite, les grands médias et les politiciens ont passablement réussi une sorte de « lavage de cerveaux » qui condamne beaucoup de nos concitoyennes et concitoyens à l'impuissance.

Les luttes féministes, quant à elles, s'en prennent parfois à des intérêts économiques (la question de l'équité salariale, qui touche les profits des entreprises, vient ici à l'esprit), mais ce n'est pas toujours le cas. De plus, soulever une question qui a trait aux conditions de vie et de travail des femmes, c'est toucher directement et aussitôt la moitié de la population, des femmes qui sont présentes partout, dans tous les milieux. Il faut aussi rappeler que le mouvement des femmes est profondément enraciné au Québec, où on compte environ 1 500 groupes de femmes. Cet enracinement est assez unique, par rapport à ce que j'ai pu observer dans d'autres pays. Certains s'en plaignent, d'ailleurs... Tant pis pour eux, car les femmes québécoises ne reculeront pas, sachant que leurs acquis sont fragiles.

Il me semble aussi que le mouvement des femmes est, avec le mouvement écologiste, l'un de ceux ayant gagné le difficile pari de conjuguer harmonieusement le politique et le personnel. Les femmes demandaient des droits dans l'espace social, économique et politique, mais aussi dans la famille. Il y a donc eu de profondes et parfois difficiles remises en question dans l'aspect personnel. Tout cela a été accompli, plutôt sereinement. Les écologistes vont plus loin encore quand ils affirment ne pas pouvoir revendiquer quelque chose dans l'espace public s'ils ne sont pas prêts, eux-mêmes, à l'appliquer dans leur vie privée. Bref, il n'est pas logique d'acheter un VUS et de revendiquer l'arrêt de la pollution par les usines.

Tout cela est très exigeant, je le reconnais. Et j'ajouterais que si la congruence est une valeur importante, il faut aussi se donner ce que j'appellerais un certain droit à nos contradictions. Il arrive même qu'on ne puisse pas faire autrement. Par exemple, acheter bio est exemplaire ; mais c'est aussi très cher, au-delà des moyens de beaucoup de gens. Il faut donc conjuguer le politique et le social, la lutte écologiste et la lutte pour la justice sociale. Et le faire de manière harmonieuse, respectueuse, sans que les gens sentent qu'on leur fait la morale. C'est une autre chose que j'ai retenu de mon passage chez les marxistes-léninistes : il faut que les militantes et militants cessent de prétendre détenir la vérité. Nous pouvons donner de l'information, suggérer nos valeurs, affirmer nos convictions. Puis nous devons laisser les gens choisir et se faire une idée.

Quant à nous, militantes et militants, nous devons nous permettre de nous tromper et de vivre nos contradictions. La congruence, oui, bien sûr, mais pas au prix de notre santé mentale ! Il me semble d'ailleurs qu'une des choses qui caractérisent le nouveau militantisme, et c'est très bien ainsi, c'est la réintroduction des notions de plaisir et de bonheur.

Sur le plan du politique, cette fois, la situation est un peu paradoxale, du moins à mon avis. Au Québec et en Occident en général (le cas de l'Amérique latine est différent), il y a eu de grandes avancées dans les années 1960 et 1970, puis des reculs ; en même temps, il y a une indéniable mobilisation populaire, surtout depuis les années 1990. Et pourtant, nous avons, au Québec et au Canada, les gouvernements les plus à droite que nous ayons eus depuis longtemps, avec des positions alignées sur celles des États-Unis, y compris le moralisme pour ce qui est du gouvernement conservateur d'Ottawa. Il y a là un paradoxe que je m'explique mal. Mais sa solution, il me semble, passe par le militantisme. C'est le sujet que je veux aborder maintenant.

L'histoire de ma vie, depuis mon implication dans le syndicalisme, les groupes communautaires et le mouvement des femmes, a consisté à réunir des gens et à lutter avec eux et avec elles. Cette expérience m'a amenée à réfléchir sur le militantisme, ses splendeurs et aussi certaines de ses misères. Une première donnée à prendre en compte est celle de la multiplicité des points de vue différents qui coexistent dans les mouvements sociaux et partis politiques de gauche, et l'exigence de réaliser des coalitions et des convergences les plus larges possibles pour permettre de faire des gains. Il ne faut nier ni les divergences, qui sont parfois profondes et importantes, ni la nécessité des convergences.

Si on reconnaît, ce qui est raisonnable, qu'on ne pourra pas toujours arriver à des consensus, la solution réside dans le dialogue et l'échange des idées, qui nous enrichissent mutuellement. Sur ce plan, je me réjouis qu'on ait aujourd'hui, dans l'ensemble, laissé derrière nous un certain sectarisme et qu'on soit parvenu à une sorte de cohabitation pacifique et respectueuse.

Je déplore cependant qu'il reste encore des gens qui refont le monde autour de quelques bières, qui écrivent des textes de 300 pieds de long pour dénoncer tous ceux qui ne pensent pas comme eux, mais qui n'ont jamais essayé d'aller parler avec des gens pour voir simplement comment, petit à petit, on peut éduquer, informer et travailler au changement des mentalités.

Fort heureusement, il y a surtout à gauche beaucoup de gens qui, malgré des désaccords sur plusieurs points, sont sincères, généreux, conviviaux. Je l'ai constaté dans le mouvement des femmes, dans les mouvements altermondialistes, dans les forums sociaux et je le vois à Québec solidaire. Dans tous les cas, il y a une belle coexistence pacifique, parce qu'on s'entend sur le fait fondamental que, si on veut que nos idées avancent, il va falloir se mettre d'accord sur certains points.

Le dernier élément de mon bilan est la culture. Je le dis d'emblée : je pense que la gauche est faible sur ce plan. Demandons-nous-le sincèrement : qu'est-ce que la gauche a à dire sur la culture ? Pas grand-chose hélas, même sur des thèmes aussi fondamentaux que la définition de la culture ou les raisons de son importance. Tout cela, je le constate et je le déplore d'autant que si la discussion sur la culture est peu présente à gauche, sa consommation, elle, y est par contre très répandue. La gauche, qui n'est pas inculte, bien loin de là, adore le cinéma, aime aller voir des spectacles et inviter des artistes à ses évènements et activités. Nous travaillons, à Québec solidaire, à une politique culturelle et nous devons faire sérieusement nos classes sur ce sujet.

Mais le moment est venu de répondre à la dernière de vos séries de questions, celles qui portent sur ce que je voudrais voir advenir – et les embûches que je pense important d'éviter pour y parvenir.

Un gouvernement solidaire !

Je voudrais, bien entendu, voir l'arrivée au pouvoir d'un gouvernement de Québec solidaire. Pour cela, il faudrait assister à une véritable prise de conscience par la majorité de la population du Québec. Il faudrait qu'il y ait une sorte d'éveil, comparable à celui des années 1960, mais cette fois pas seulement centré sur la question nationale. Cette prise de conscience serait double : celle de la nécessité de changer l'ordre des choses et celle de la possibilité d'y arriver. Cela suppose, et c'est fondamental, que l'on propose une vision de l'avenir politique, économique et social.

Je pense, fondamentalement, que nous sommes à la croisée des chemins. Le néolibéralisme est présent partout dans le monde et nous pose des défis immenses. Au Québec, on assiste à des débats houleux sur le remboursement de la dette, sur des projets grandioses mais peu respectueux de l'environnement (les mégabarrages hydroélectriques), sur le financement de la santé, sur les garderies à deux vitesses, etc. Beaucoup de gens hésitent sur tout cela, ne savent pas trop quoi penser. Il est vrai que les questions sont devenues très complexes. Cela conduit à un certain repli sur soi-même, qui fait le jeu de la droite : pendant ce temps, ses idées, exprimées par exemple dans le manifeste *Pour un Québec lucide*, font leur chemin.

Nous devons proposer des idées différentes, les défendre, convaincre, débattre. Ce que je veux, par contre, ce n'est pas seulement gagner des élections : j'aimerais aussi et surtout gagner les cœurs et les esprits à l'idée que l'injustice n'a aucun sens, que par exemple le taux de pauvreté au Québec est absolument inacceptable et intolérable. La réflexion que j'appelle devra donc être faite dans tous les mouvements. Il nous faudra être à la fois rigoureux, intéressants, simples, clairs et concrets, pour que dans la population il y ait de plus en plus de gens qui aient envie d'entendre ce que nous proposons et de participer à des discussions avec nous. J'ai pour ma part la nette impression que, dans leur cœur, bien des gens auraient le goût d'autre chose, mais ils se sentent impuissants, ils se disent que, de toute façon, ils ne décideront jamais rien. C'est cela, justement, qu'il faut changer et je sais que c'est une tâche gigantesque.

Dans ce contexte, une certaine convergence de la gauche, ou des progressistes, est essentielle. Ce n'est pas toujours facile et les divisions maintenant apparentes et profondes dans le monde syndical sont là pour nous le rappeler. Même les organismes communautaires sont parfois tentés par la rivalité, une rivalité savamment entretenue par des gouvernements qui encouragent la compétition et donnent chichement leur financement. Je sais bien qu'on ne peut pas toujours éviter les divisions, mais il faut viser à s'approcher le plus possible de cet idéal.

Je souhaite aussi que ce Québec solidaire soit souverain, puisse prendre en main son destin, édicter toutes ses lois, lever tous ses impôts. Il y a là un rêve, un projet qui appelle à la solidarité et à l'exigence. Car nous avons besoin de la souveraineté pour réaliser la plénitude du projet porté par la gauche québécoise.

Je voudrais, pour conclure, prenant en compte l'ensemble de mon parcours, essayer de répondre à la question que vous me posez sur les erreurs à éviter dans l'avenir.

Il faut d'abord rejeter le sectarisme qui a souvent marqué la gauche ; cette cure de fraîcheur me semble bien amorcée. Ensuite, il me semble qu'une erreur serait de vouloir une politique du pire en pensant que c'est dans le malheur que les gens se mobilisent et deviennent finalement de grands militants aspirant à changer le monde. Le Québec, après tout, n'est pas l'Amérique latine et il n'y a pas ici 75 % de pauvres. La situation est donc radicalement différente ici et l'insécurité, pour prendre cet exemple, ne produit pas ici les mêmes résultats. Devant l'insécurité, devant la précarité, face à l'anxiété du lendemain, devant la complexité des problèmes, le danger est beaucoup plus à la démission qu'à la mobilisation.

Je me prononce contre ces politiques du pire, qui voudraient qu'on aille de défaite en défaite jusqu'à la victoire finale ! Je veux aller de victoire en victoire, de petit pas en petit pas, les victoires du passé montrant souvent aux gens que le combat d'hier a valu la peine.

Enfin, je souhaite que nous nous inscrivions dans la durée, car les victoires ne sont ni faciles à obtenir, ni instantanées. Et parfois, nous reculons. Le meilleur antidote contre le découragement, c'est la conviction que nous sommes plus nombreux que nous le croyons parfois et que partout au monde, des femmes et des hommes luttent avec les mêmes valeurs que nous.

Dimitri Roussopoulos

La ville au cœur des politiques radicales

Dimitri Roussopoulos est membre de la Nouvelle gauche communautaire de Montréal. Il a participé, dans les années 1960, aux divers mouvements contestataires des étudiants et des jeunes, des pacifistes et des écologistes. Depuis les années 1970, il est actif dans les principales luttes urbaines et milite présentement dans le réseau international promouvant le « droit à la cité ». Fondateur du journal international Our Generation *(1961-1992) et de la maison d'édition Black Rose Book (1969), il a aussi co-fondé à Montréal le journal* Noir et rouge *et les Éditions Écosociété. Il a publié plus d'une quinzaine d'ouvrages, dont le plus récent s'intitule* Participatory Democracy – democratizing democracy. *Jean-Marc Piotte a traduit ce texte.* ■

L A MONDIALISATION CAPITALISTE expose sa faillite sur les plans politique, économique, écologique, éthique... au fur et à mesure qu'elle se déploie. Ce nouvel ordre mondial, se dévorant lui-même de façon incontrôlable, se développe comme un cancer et va vers un effondrement écologique et social.

La banqueroute éthique de cette économie mondiale repose sur la réduction de tous les aspects de la vie quotidienne à la consommation pour la consommation, à la production pour la production, faisant de chacun le spectateur de sa propre démission. Entourés du plus banal matérialisme et de la violence grossière d'un monde de marchandises, nous titubons, hagards. Notre volonté de survivre a été affaiblie. Notre humanité même est quotidiennement corrodée par les forces réactionnaires les plus puissantes qui ont l'indéniable avantage de poursuivre un objectif commun.

Malgré cet affaiblissement de la condition humaine, un nouveau cycle de vie commence dans des temps, des lieux et des formes typiquement imprévus. Notre être entier crie pour la paix, la liberté et la démocratisation de la démocratie, et le courant de la Nouvelle gauche reflète cette exigence. Le mouvement mondial d'opposition le plus large de l'histoire est en train d'émerger. Le pari d'inverser le courant dominant n'est évidemment pas gagné. Les questions demeurent toujours les mêmes pour ceux d'entre nous qui voulons refléter profondément ce qui est arrivé et ce qui a besoin d'advenir : Pourquoi sommes-nous dans cette situation critique ? Qu'est-ce que ça signifie ? Comment pouvons-nous nous en sortir ?

Les origines

Enfant, j'ai été traumatisé par les massacres de civils, de femmes, d'enfants et de jeunes soldats filmés durant la Seconde Guerre mondiale. De cette époque date mon obsession de comprendre les causes de la guerre génératrice de tant de maux.

D'un autre côté, j'ai été élevé pour apprécier, comprendre et, de fait, aimer le beau à travers les arts. Très tôt, j'ai développé la conviction que tous les êtres humains ont les attributs nécessaires pour aimer la beauté et pour y contribuer d'une façon ou d'une autre. Développer les capacités créatrices de tout être humain contre tout ce qui les entrave, voilà le défi qu'il faut comprendre et transformer en action sociale et politique.

Quels sont les obstacles à franchir pour qu'émerge un monde de beauté fondé sur la paix, la liberté et l'égalité démocratique ? Quelles seraient les circonstances favorables à une telle émergence ? Ma vie fut consacrée à cet objectif, devenu une nécessité vitale, et non une utopie stérile. Une telle société ne serait pas exempte de contradictions, de désagréments et même de maux. Mais elle aurait les moyens de solutionner les conflits en se développant, en étant continuellement en mouvement et en réinterprétant le passé à la lumière de l'avenir espéré.

À 15 ans, je commençai ma longue et solitaire marche vers la réalisation de mon rêve. Toutes les contraintes institutionnelles m'apparaissant comme des formes d'emprisonnement, j'ai refusé radicalement toutes les attaches institutionnelles. Cette volonté d'être libre dans une société qui limitait la liberté m'incita à me dévouer entièrement à la révolution sociale. Mon éducation familiale m'avait fait connaître la culture et la philosophie de la Grèce antique : l'éducation de l'individu, le sens de responsabilité envers la cité ou la société et l'aspiration à l'égalité sociale et politique de tous les citoyens ont été les bases de mon développement intellectuel, moral et politique. Je voulais recréer une situation où la paix et la liberté auraient la possibilité d'émerger et de s'épanouir. J'ai cherché d'autres personnes qui seraient des complices dans ce projet révolutionnaire. C'est dans le mouvement européen de désarmement nucléaire de la fin des années 1950 que j'ai d'abord trouvé une communauté qui m'a permis de mûrir.

J'ai eu de grands professeurs et plusieurs amis. J'ai beaucoup lu. Mes principaux mentors intellectuels furent : Aristote, Bakounine et Kropotkine, Marx jusqu'à l'école de Francfort ; Bertrand Russell, les marxistes libertaires, Henri Lefebvre, Castoriadis, Jane Jacobs et, surtout, des auteurs contemporains, dont C. Wright Mills, l'anarchiste Paul Goodman et, tout particulièrement, Murray Bookchin. Inutile de dire que d'autres auteurs m'ont influencé, en particulier dans les arts et la musique. Les intellectuels les plus influents ont été et demeurent ceux qui mettent la théorie à l'épreuve de la pratique, puis retournent à la théorie afin de l'affiner, effectuant un va-et-vient continu afin d'améliorer la théorie et la pratique.

Pour mener une vie créative et signifiante, j'ai refusé tout lien contractuel avec les organisations corporatives, dont les universités. Les mouvements sociaux étaient et sont demeurés mes lieux d'intervention, tandis que mes outils ont été et demeurent la parole, le travail d'organisation, l'enseignement, l'écriture, l'édition et la publication.

Dans les années 1960, mon antimilitarisme s'est consolidé, en s'intégrant à l'objectif central de la Nouvelle gauche, la démocratie participative. C. George Benello, un des principaux théoriciens anarchistes de l'organisation, et moi-même avons été les premiers à publier, dans les années 1969-1970, un livre sur la démocratie participative, laquelle permet de renouveler profondément la tradition libertaire de gauche.

Le capital et l'État

Tous les mouvements sociaux auxquels nous avons participé, toutes les campagnes politiques dans lesquelles nous nous sommes inscrits, toutes les différentes questions que nous nous sommes posées renvoient à un seul et même système, qui ne peut survivre qu'en divisant et séparant les mouvements, les campagnes et les questions, qu'en fragmentant, en définitive, la conscience de chacun. Nous devons comprendre que toutes ces questions – de genre, ethnoculturelles, industrielles et politiques, internationales et domestiques, économiques et culturelles, humanitaires et radicales – sont profondément liées, que nous nous opposons à un seul et même système social, économique et politique ; que nous luttons pour une société totalement différente.

Nous vivons dans un système capitaliste mis sur pied il y a plusieurs décennies et qui commence à se transformer pour devenir mondial dans un sens très précis du terme. Ce nouveau capitalisme pose de nouveaux et cruciaux problèmes.

Le capitalisme, un ordre économique fondé sur l'accumulation privée, est maintenant dominé par quelques centaines de grandes corporations dans chacun des secteurs économiques. Dans ce nouveau capitalisme, l'allocation des ressources et le type de demandes ne peuvent plus être laissés au « libre jeu » du marché : ils doivent être soumis à ces organisations complexes, dont la grande étendue des opérations requiert une planification au plan mondial. Les innovations technologiques, le désir de prévoir à long terme le financement de l'entreprise et sa croissance, le besoin de prédire la demande et de la préparer, tous ces facteurs ont déjà profondément modifié le fonctionnement du capitalisme. Ce qui est maintenant requis, selon l'idéologie dominante, est la poursuite de la mondialisation vers une économie mondiale intégrée et rationalisée. La planification internationale des grandes entreprises tend donc à remplacer le marché comme régulateur de l'économie.

Mais cette planification ne signifie pas ce qu'entendaient les socialistes et les anarchistes par ce mot : la subordination du profit privé et de sa maximisation à des priorités sociales. La planification capitaliste de la croissance économique requiert la coordination des investissements, l'organisation de l'expansion des firmes et la volonté de contrôler la demande. Cette planification exige, de plus, un meilleur contrôle des syndicats et de leur pouvoir de négociation. Cette planification permet aux firmes privées les mieux organisées et les mieux équipées technologiquement de poursuivre leurs objectifs avec davantage de « rationalité », avec plus d'efficience.

Dans le cours de cette rationalisation et de cette mondialisation du capitalisme, l'écart entre les corporations privées et l'État a été réduit. L'État se rend responsable de la gérance régionale de l'économie mondiale par des instruments fiscaux. Il doit voir à la formation de travailleurs répondant aux besoins du système économique. Sur le plan politique, l'État doit déterminer les balises des nécessaires négociations entre des intérêts compétitifs. Il doit créer parmi la population un consensus sur les cadres des négociations. Il doit convaincre les syndicats de se soumettre à ce cadre et, ainsi, de collaborer au maintien et au développement du régime capitaliste.

Le stade présent du capitalisme se distingue du stade de l'État providence qui, lui-même, avait modifié profondément la phase précédente du libre marché capitaliste. Accroître la prospérité de la population, sous forme de salaires plus élevés ou de nouvelles mesures sociales provenant de l'État, n'est plus fondé, comme dans l'État providence, sur une redistribution de la richesse des plus riches vers les plus pauvres. Une croissance de la prospérité du peuple ne peut dorénavant venir, dans ce nouveau capitalisme, que de la croissance de la production et du profit. L'actuelle distribution du pouvoir et de la richesse est acceptée comme une donnée inamovible. Cela signifie que la croissance du niveau de vie de la classe ouvrière est indissolublement liée à la croissance et à la fortune des grandes corporations capitalistes, car c'est uniquement par le développement de la productivité et l'augmentation de la production que se dégagera un surplus permettant une négociation susceptible d'offrir des augmentations de salaire. Mais ce capitalisme, par définition, n'est pas un système égalitaire du point de vue des revenus, de la richesse, des opportunités, de l'autorité et des pouvoirs.

La mondialisation néolibérale diffuse ce nouveau capitalisme dans toutes les parties du monde. L'objectif politique de ce nouveau capitalisme, appuyé par les appareils étatiques, est d'étouffer tous les conflits réels et de les dissoudre dans un faux consensus politique ; ce n'est pas de construire une communauté authentique de vie et d'intérêt. Dans cette société consensuelle, les élites dirigeantes ne peuvent plus imposer leur volonté par la coercition, tout en refusant la participation du peuple au pouvoir. La démocratie devient, de fait, une structure de négociations et de manœuvres. L'objectif des dirigeants politiques est de construire sur chaque question une coalition d'intérêts par les moyens de la négociation et du compromis, en subordonnant la solution aux intérêts des grandes corporations. Les politiques consensuelles sont pragmatiques, favorisant la manipulation et les manœuvres au sein du système existant. Tout acte politique, tout acte administratif devient un exercice de relations publiques.

Jusqu'ici, dans les sociétés capitalistes, les gouvernements devaient négocier avec des pouvoirs séparés par la possession et le contrôle. Le nouveau capitalisme repose, lui, sur la coordination et la rationalisation croissantes de l'ensemble des pouvoirs, et cela, non seulement au plan de l'État, mais également au plan mondial, grâce à des organisations mondiales bien spécifiques. Les centres de pouvoir au sein de l'État, les commandants en chef dans chaque secteur – les banques et les compagnies d'assurance, les fédérations industrielles, les grandes corporations multinationales, les fédérations syndicales – ont acquis une place nouvelle au sein de la structure du pouvoir qui constitue le mécanisme de prise de décision.

Évidemment, pour comprendre ce nouvel ordre capitaliste mondialisé et les États gestionnaires qui le soutiennent, il faut non seulement reconnaître l'absorption de la social-démocratie par ce nouvel ordre mondial, mais aussi examiner le rôle complexe qu'y joue l'hyperpuissance états-unienne, ce que je ne peux malheureusement pas faire ici.

Limites de la démocratie actuelle et politiques de l'avenir

Il existe toujours des possibilités d'actions efficaces en utilisant les querelles des machines politiques. Mais ce que nous devons construire, au-delà de ces actions à l'intérieur du système, c'est un nouveau mouvement qui se définit par une opposition radicale à ce système, qui ne peut être défait par des actions électorales au plan « national » ou « régional ». Et il ne peut, non plus, être défait au plan urbain par la seule action électorale. En adoptant une approche plus large et plus profonde de l'action politique, nous cessons de subordonner chaque question, chaque stratégie, à des calculs électoraux et partisans.

La poursuite du mouvement anticapitaliste mondial sera difficile, car nous nous heurtons à un système qui exproprie le peuple de son identité citoyenne. L'autoritarisme n'est plus maintenant de type fasciste ; il prend un air débonnaire, se cachant derrière un processus élitiste et centralisé de décisions. Le pouvoir autoritaire n'enferme plus les dissidents dans des camps de concentration : il se contente de les isoler dans des petites revues et dans des associations sectaires, et de divertir le peuple en le transformant en une masse de spectateurs.

Le nouveau capitalisme juge de plus en plus nécessaire la prévision et la création de la demande : son expression politique exige non pas l'adaptation à l'opinion publique, mais sa création. Cette manipulation politique devient possible grâce aux nouveaux moyens de communication. Au XIXe siècle, dans les luttes pour la démocratie, les minorités dissidentes et les nouveaux mouvements populaires avaient les instruments pour rejoindre le public, même s'ils n'étaient pas de qualité comparable à ceux des possédants : la modeste imprimante, les tournées d'auteurs, la boîte à savon dans un coin de rue ou sur une place publique, la salle publique... Plusieurs de ces instruments sont toujours disponibles, mais les principaux moyens de persuasion (la télévision, les journaux « nationaux », les partis politiques monolithiques...) sont maintenant hors de leur portée. Les groupes d'opposition peuvent parfois être entendus dans les médias, mais à l'intérieur des normes du système établi. Le plus souvent, nous en sommes réduits à rejoindre peu de gens par la circulation artisanale de pamphlets, la publication de livres sérieux et les assemblées dans des salles louées. Lorsque nous sortons dans la rue et organisons des manifestations monstres contre la guerre, les médias rendent compte de notre action, mais en nous traitant le plus souvent d'excentriques qui ne représentent pas la majorité de la population, la population dite « tranquille ». La bureaucratie privée et la bureaucratie publique, qui défendent les intérêts économiques et politiques établis, contrôlent étroitement les principaux moyens de communication, dont le niveau d'organisation et les coûts nous les rendent inappropriables, et réduisent notre opposition à la marginalité, voire à la petitesse.

À notre désir d'être entendus comme tous les autres, on répond habituellement que la démocratie s'exprime par les voies parlementaires. Sur le plan formel, c'est exact : la démocratie parlementaire se poursuit. Mais, dans la pratique, nos institutions libérales ont été converties en machines donnant l'illusion d'une représentation démocratique. Les choix qui s'y effectuent ne sont pas entre les désirs du peuple et ce qu'offre la réalité, mais entre le programme du parti élu et les désirs des élites, entre les intérêts industriels et commerciaux et ce que veulent les « experts », entre la volonté des technocrates de l'État et celle des États-Unis. Le gouvernement n'est pas le peuple au pouvoir, mais un courtier, une partie de l'appareil d'État au service du système capitaliste.

Les partis politiques subsistent comme un élément ne pouvant être totalement intégré à l'appareil d'État, mais cette intégration imparfaite est nécessaire – du moins dans cette phase transitoire – pour légitimer l'appareil étatique. Les batailles réelles ou feintes des partis politiques peuvent perturber le fonctionnement de l'État, mais, d'un autre côté, sans elles, il deviendrait évident pour tout le monde que les décisions majeures ne sont pas prises par le peuple, mais par ceux qui dominent le système.

Ce système est si raffiné qu'aucun politicien de gauche ne peut résister aux sirènes du pouvoir : inévitablement, ils font des compromis, acceptent les règles du jeu et sont cooptés. Rares sont ces politiciens ayant une compréhension du pouvoir corrupteur des institutions et de la politique parlementaires. Aussi sont-ils généralement entraînés dans ce tourbillon corrupteur sans grande résistance.

Cette réflexion me ramène à l'héritage des années 1960 et aux fils qui relient les idées de la Nouvelle gauche de cette époque aux mouvements contemporains. N'est-ce pas significatif que le Students for a Democratic Society (SDS) a été récemment recréé aux États-Unis ? N'est-ce pas significatif que plusieurs vétérans des années 1960 ont participé aux conférences données par le nouveau SDS en 2006 ? Ai-je été surpris de la nouvelle édition de *Port Huron Statement* (parue d'abord en 1962), préfacée par Tom Hayden, récemment achetée ? Ma réponse est oui aux deux premières questions et non à la troisième.

J'ai été immédiatement impressionné par l'étendue du programme des ateliers et des tables rondes du premier Forum social mondial tenu à Porto Alegre. J'avais déjà assisté à plusieurs conférences internationales, mais c'était la première fois que je participais à une rencontre liant étroitement les questions locales, régionales et internationales. Une sorte de courant dialectique traversait les différentes dimensions de la réalité. La nouvelle gauche du Forum accordait de l'importance à ce que valorisait la Nouvelle gauche des années 1960 : la communauté, le voisinage et la ville. Le Forum, avec l'aide organisationnelle et financière de Porto Alegre, se tenait dans cette ville qui a amorcé la plus radicale démocratisation de la vie publique, grâce à la participation des citoyens. Le budget participatif de cette ville, qui mobilise des centaines de citoyens ordinaires, a non seulement inspiré des milliers de personnes ailleurs dans le monde, mais a été appliqué sous une forme ou sous une autre dans des cités qui se sont regroupées dans un réseau international.

Les nouvelles politiques s'enracinent dans les milieux urbains. La Nouvelle gauche a toujours mis l'accent sur l'organisation communautaire des sans-pouvoir et sur la nécessité, pour les citoyens, de participer à toutes les décisions qui affectent leur vie quotidienne. Aussi, 30 ans plus tard, nous revenons au militantisme de base dans les communautés et frayons ainsi la voie de l'avenir.

Le point d'appui : la géopolitique

Archimède (287-212 av. J.-C.) a été un pionnier en mécanique. Il a dit : « Donnez-moi un point d'appui et je soulèverai le monde. » On lui demanda d'illustrer son affirmation qu'une faible force pouvait soulever un grand poids. Il trouva un lieu où insérer un levier et obtint le support nécessaire à sa démonstration.

Parallèlement à la mondialisation capitaliste, le monde a connu une révolution urbaine. Quelques statistiques peuvent illustrer cette révolution. En 1800, 2 % de la population mondiale vivait dans les villes, alors que cette proportion était de 30 % en 1950 et de plus de 50 % en 2007 ; on prévoit un taux de 65 % pour 2050. Le XXIe siècle sera, de façon prépondérante, urbain. Chaque jour, la population mondiale croît de 180 000 personnes et, chaque semaine, de 1,25 million de personnes. La croissance urbaine la plus forte se produit dans l'hémisphère Sud : la population y double tous les 30 ans. Un milliard de pauvres vivent dans des bidonvilles et ils seront deux milliards en 2020. Un milliard de citadins n'ont pas accès à de l'eau potable et ne jouissent d'aucun système sanitaire. Près de la moitié des citadins du Sud travaillent dans le secteur informel de l'économie. Un citadin africain consomme 50 litres d'eau par jour, tandis qu'en Occident, un autre en consomme 215 litres. Les citadins du Nord produisent six fois plus de déchets que ceux du Sud. Ces statistiques montrent l'enchevêtrement des facteurs économiques, sociaux et environnementaux, et leur impact différencié dans le monde.

Depuis une quinzaine d'années, un certain nombre de « cités mondiales » se développent et exercent une domination croissante sur l'économie mondiale. Même si plusieurs de ces espaces urbains sont étendus, le pouvoir des cités mondiales repose davantage sur des phénomènes économiques que sur le poids démographique. Les cités mondiales partagent certaines caractéristiques bien décrites par John Lorinc :

Elles sont régulièrement les hôtesses de conférences internationales et abritent les sièges sociaux des institutions internationales. Elles sont desservies par un réseau de transport très sophistiqué, des aéroports majeurs et des systèmes de communication de haute technologie. Ces villes attirent les sièges sociaux, les firmes étrangères et les grandes entreprises de services. Les médias s'y installent, elles deviennent des lieux de diffusion culturelle et leurs institutions académiques y attirent les chercheurs prédominants. De plus, ces cités mondiales sont pluriethniques et résolument cosmopolites.

Le groupe Globalization and World Cities Study, un *think tank* de l'Université Loughborough lié à un réseau international [...] a établi un classement des villes en alpha, bêta, gamma [...] New York, Londres, Paris, Tokyo, comme Chicago, Frankfort, Hong Kong, Los Angeles, Milan et Singapour sont classées alpha. Toronto est une ville bêta [...] Montréal est considérée comme une cité gamma, avec Rome et Stockholm. Vancouver et Calgary [...] font partie de la catégorie émergente.

Oubliez le G-8. Le réseau des cités mondiales est devenu le club international le plus puissant [1].

Il y a de plus en plus de publications sur le sujet, mais la gauche canadienne et états-unienne, dont on doit exempter ceux qui sont dans la mouvance du Forum social mondial, a été lente à reconnaître cette nouvelle réalité urbaine et, conséquemment, à en tirer les implications pour des changements sociaux et politiques radicaux. L'espace urbain et plus spécifiquement la cité

---

1. John Lorinc, *The New City*, New York, Penguin, 2006, p. 190-192.

mondiale est le lieu qui nous permettra de renouer avec le processus de changement amorcé par la Nouvelle gauche dans les années 1960 et de le pousser encore plus loin.

Les luttes des années 1960 pour aider les sans-pouvoir à s'organiser, le travail d'organisation communautaire qui s'est par la suite étendu à d'autres champs (coopératives d'habitation, corporations de développement communautaire, entreprises autogérées...), tous ces efforts visaient à progresser vers la démocratie participative. Nous savons que cet objectif est loin d'être abandonné. Au contraire, nous sommes témoins, et sur une échelle de plus en plus étendue, de l'intérêt suscité par la démocratie participative. Cet intérêt est non seulement répandu, il se manifeste sous une forme ou sous une autre dans des cités de différentes tailles. Comment pouvons-nous hybrider ces différents mouvements qui poursuivent l'objectif de démocratiser la démocratie ?

Le néoanarchisme de Murray Bookchin apporte, selon moi, plusieurs réponses à cette question, même s'il n'est pas le seul militant, ni le seul penseur à avoir abordé intelligemment cette question.

Nous savons que les anarchistes s'opposent à la centralisation des pouvoirs économiques et politiques. Aussi ont-ils cherché des solutions de rechange libertaires à l'État-nation. Bookchin, contrairement à d'autres anarchistes, voit dans la politique le moyen nécessaire à la création de modèles libertaires. Mais la politique, pour lui, ne s'exprime pas dans le travail professionnel de ceux qui exercent des fonctions publiques dans les capitales régionales ou nationales. Au contraire, la politique est la démocratie directe, l'autogouvernement de la communauté par les citoyens libres. Cette politique constitue « la dimension démocratique de l'anarchisme ». Elle cherche à créer ou à recréer un espace public fondé sur les débats, la coopération et la communauté. Ce type de politique s'est manifesté dans plusieurs périodes de l'histoire : dans les cités de la Grèce ancienne, dans les communes médiévales, dans les assemblées des villes de la Nouvelle-Angleterre, dans le Paris révolutionnaire de 1792, durant la Commune de la même ville, dans les soviets révolutionnaires en Russie, dans la révolution sociale espagnole en

1936-1939 et dans la révolution des Œillets au Portugal en 1974. Mais avec le développement de la mondialisation capitaliste, ces avancées révolutionnaires et démocratiques ont été érodées, voire écrasées par les États-nations au service des élites corporatives. Bookchin nomme cette politique le municipalisme libertaire. C'est la logique de la démocratie participative poussée à ses ultimes conséquences. Il affirme que c'est au plan urbain, municipal, que doivent être créées de nouvelles institutions qui rassemblent les citoyens. Derrière cette approche de Bookchin, il y a tout un programme que je ne peux pas développer ici.

Pour affronter les problèmes qui affectent une région entière et pour contrecarrer tout esprit de clocher, les assemblées municipales de citoyens se confédéreraient dans de larges réseaux. Même si c'est très imparfait, Montréal s'est orienté dans cette direction, en décentralisant au niveau des conseils d'arrondissement des pouvoirs et des budgets qui permettent d'innover dans l'implantation de services publics. Certaines politiques publiques et certains services de ces conseils d'arrondissement, qui recouvrent l'ensemble du territoire de la ville, doivent néanmoins se conformer aux décisions adoptées par le Conseil de ville de Montréal, où siègent également les conseillers d'arrondissement. Bookchin va au-delà de ces mesures limitées en défendant la perspective d'un contre-pouvoir.

Le besoin est urgent d'une gauche émancipatrice qui combattrait la mondialisation capitaliste et la destruction de l'environnement. Le municipalisme libertaire peut représenter cette solution tant recherchée, celle d'une voie radicale et concrète vers une société démocratique, rationnelle et écologique :

> Tout programme qui désire restaurer la signification classique de la politique et de la citoyenneté doit clairement indiquer ce qu'ils ne sont pas, à cause de toute la confusion qui entoure maintenant ces deux mots [...] La politique n'est *pas* affaire d'État et les citoyens ne sont *pas* des « électeurs » ou des « payeurs de taxes ». Les affaires de l'État concernent des opérations telles que l'exercice du monopole de violence, le contrôle de l'ensemble de l'appareil de régulation de la société par les lois et par ses mécanismes d'application [...] Les affaires de l'État prennent une patine politique lorsque les « partis

politiques » essaient, par divers jeux de pouvoir, d'occuper les places où se décident les politiques étatiques et leurs applications [...] Un « parti politique » est normalement une structure hiérarchique, dont les membres constituent la chair, et qui fonctionne de haut en bas [...]

La politique, telle que je l'entends, est un phénomène organique. Organique dans le sens précis où elle est l'activité d'un corps public – une communauté, si vous voulez – tout comme le processus de floraison est l'activité organique d'une plante. La politique, conçue comme une activité, implique un discours rationnel, l'*empowerment* public, l'exercice de la raison pratique, et sa réalisation est une activité partagée, effectivement participative [...]

[...] Le point de départ de la redécouverte et du développement de la politique est le citoyen et son environnement immédiat, au-delà de celui de sa famille et de sa vie privée. Il ne peut y avoir de politique sans communauté [...]

Un nouveau programme politique peut être un programme municipal, seulement si on prend au sérieux son engagement envers la démocratie [...] La cellule de base au fondement de la vie politique est la municipalité ; d'où tout peut émerger : la citoyenneté, l'interdépendance, la confédération et la liberté [...] C'est au plan municipal que le citoyen peut commencer à se familiariser avec le processus politique, un processus qui implique beaucoup plus que s'informer et voter[1].

Beaucoup de ce que dit Bookchin semble familier. Cela ressemble fort à ce qui était discuté dans les années 1960 et à ce qui est débattu aujourd'hui. Cela suggère l'existence d'une continuité signifiante.

Nouvelle gauche et continuité

Quatorze ans après la publication de l'ouvrage de Bookchin, en janvier 2006, Serge Latouche publie dans la version anglaise du *Monde diplomatique* un article, « The Globe Downshifted », qui présente une large gamme de propositions sur la manière

---

1. Murray Bookchin, *Urbanization without Cities*, Montréal, Black Rose Books, 1992.

dont « notre espèce peut éviter que notre cupidité entraîne une crise sociale et écologique détruisant notre planète ».

Latouche affirme « qu'il y a des moyens pratiques que nous pourrions déjà utiliser pour sauver notre espèce. Pourquoi ne les adoptons-nous pas ? Qu'est-ce qui nous empêche de désirer un style de vie plus simple et meilleur ? » Dans la troisième partie de son texte, « Global Dictatorship VS Local Democracy », il conclut ainsi sa réflexion :

Les démocraties consommatrices dépendent de la croissance, car sans la consommation de masse, les inégalités deviendraient insupportables (elles le deviennent d'ailleurs déjà grâce à la crise de la croissance économique). Le mythe fondateur de la société moderne est que nous allons vers des conditions de vie de plus en plus égalitaires. Les biens jadis réservés à des privilégiés sont maintenant répandus et les présents objets de luxe seront demain accessibles à tous : les inégalités sont alors acceptées provisoirement.

Pour cette raison, plusieurs doutent de la capacité des sociétés démocratiques de prendre les mesures nécessaires à la protection de l'environnement. Cette perception conduit à ne voir une solution que dans une *écocratie* autoritaire : *écofascisme* ou *écototalitarisme*. Dans les sphères les plus hautes de l'empire du capital (par exemple, dans la demi-secrète et élitiste organisation Bildeberger), des penseurs ont discuté de cette possibilité. Devant une menace sérieuse, les masses du Nord pourraient bien remettre leur liberté aux mains de démagogues leur promettant de préserver leur style de vie. Ce plan, bien entendu, aggraverait de manière drastique l'injustice globale et, ultimement, liquiderait une part substantielle de l'espèce humaine.

La stratégie de décroissance économique est différente. Elle repose sur une combinaison qui manie le bâton et la carotte : des régulations pour forcer le changement ajoutées à l'idéal d'une utopie collective décoloniseront les esprits et encourageront suffisamment de conduites vertueuses pour produire une solution raisonnable : une démocratie locale et écologique.

La revitalisation du local ouvre un chemin vers une contraction de l'économie beaucoup plus douce et moins incertaine que la notion problématique d'une démocratie universelle. L'idéal mensonger, selon lequel l'humanité unifiée est le seul moyen de réaliser l'harmonie avec la planète, est l'une des multiples fausses bonnes idées lancées par l'ethnocentrisme quotidien de l'Occident. La diversité culturelle est, au contraire, la seule voie vers des relations sociales pacifiques.

La démocratie peut sans doute fonctionner uniquement là où la cité est petite et bien ancrée dans un ensemble de valeurs. Pour l'économiste Takis Fotopoulos, l'objectif d'une démocratie universelle présuppose une « confédération de cités démocratiques », chacune formant une petite et homogène unité d'environ 30 000 personnes, taille suffisante pour pouvoir satisfaire localement la plupart des besoins fondamentaux. Fotopoulos affirme : « Plusieurs villes modernes, compte tenu de leur population énorme, devraient être divisées pour constituer un ensemble de petites cités démocratiques. »

Avec la restructuration des villes et des cités en petites républiques de voisins, nous pourrions tourner notre attention vers la réorganisation fondamentale de l'utilisation de la terre humaine recommandée par l'urbaniste italien Alberto Magnaghi. Il suggère « une période longue et complexe (de 50 à 100 ans) de purification. Durant cette période, les gens renonceraient à transformer en fermage les marécages et les terres en jachère, et refuseraient d'y entretenir des voies de transport. Au contraire, nous œuvrerions à nettoyer et à reconstruire les systèmes territoriaux et environnementaux détruits et contaminés par la présence humaine. Ce faisant, nous serions en mesure de créer une nouvelle géographie ».

Cela peut sembler utopique. Mais les possibilités et les attentes croissent par la transmission des expériences mêmes des citoyens. D'ailleurs, l'utopie fondée sur les politiques communautaires et locales est bien plus réaliste que ce que les gens croient. Dans la perspective de Fotopoulos, « la participation aux élections locales donne à chacun la chance de changer la société, en partant d'en bas, ce qui est la seule stratégie réellement démocratique. Cette stratégie s'oppose à celle basée sur l'État (qui vise à transformer la société par le haut, en prenant le contrôle de l'État) et à celle qui promeut l'engagement dans la société civile (qui n'essaie pas de transformer la société) ».

Les relations entre les différentes politiques dans le village global pourraient être régulées par une démocratie des cultures, par ce qu'on pourrait nommer une vision pluriversaliste. Ce ne serait pas un gouvernement mondial, mais simplement une instance minimale d'arbitrage entre diverses politiques souveraines inscrites dans des systèmes très divergents. Le philosophe et théologien Raimon Panikar a développé une solution de rechange au gouvernement mondial qu'il nomme la biorégion : « Des régions naturelles où le bétail, les plantes, les animaux, l'eau et les hommes forment un ensemble unique et harmonieux. Nous devons séparer le mythe d'une république universelle de la notion d'un gouvernement mondial, d'un système de contrôle, d'une police mondiale. La façon de le faire est de développer un nouveau type de relations entre biorégions. »

Quelle que soit la manière de se situer par rapport à ces visions, une chose est certaine : la création d'initiatives démocratiques locales est plus réaliste que celle d'un gouvernement mondial démocratique. La possibilité de dissidence demeure, une fois rejetée l'idée d'attaquer tête première le pouvoir du capital. C'est la stratégie du sous-commandant Marcos et des zapatistes au Mexique. Ils ont réinventé les notions de biens communaux et d'espaces « communs », et ont recouvré un contrôle populaire réel sur ces biens et sur ces espaces. La gérance autonome de la biorégion du Chiapas est une illustration, dans un contexte précis, de la façon dont une dissidence locale peut fonctionner.

Il y a maintenant plusieurs *think tanks* et organisations urbaines au Canada – à Vancouver, à Calgary, à Ottawa, à Peterborough et à Montréal –, qui débattent de la question urbaine et de la démocratie participative. Ces débats reflètent souvent le contenu de ces citations. À Montréal, par exemple, des centaines de citoyens de tous les milieux de vie ont participé à trois sommets majeurs sur la culture de la ville organisés par des associations civiles et des mouvements sociaux. Le dernier sommet, auquel participaient des personnes provenant de la France, de la Grande-Bretagne, du Brésil et des villes canadiennes hors du Québec, portait entièrement sur la démocratie participative. Un quatrième sommet de citoyens s'est tenu en juin 2007. Depuis 2002, les débats et les actions préconisées lors des sommets ont eu un large impact sur des réformes utiles déjà introduites et sur celles qui sont prévues par le présent conseil municipal. Au printemps 2006, une conférence québécoise sur la démocratie municipale s'est tenue à Montréal avec une forte représentation de citoyens provenant de différentes villes de la province. Aux États-Unis, une conférence sur la démocratie locale, appelée « The Community Power Road to Democracy », s'est déroulée à la fin de septembre 2006. En octobre 2007, une conférence internationale majeure sur la démocratie participative se tiendra à Lyon. Beaucoup de travail d'organisation politique sur le terrain est derrière ces sommets et ces conférences. De nouvelles organisations communautaires sont formées, tandis que des anciennes sont revivifiées par de nouvelles perspectives et de nouvelles orientations.

Les cités mondiales occupent un espace majeur dans la nouvelle économie mondiale. Ces cités sont démocratiques uniquement dans le sens représentatif ou parlementaire. Mais les citoyens de ces villes, faisant face à des obstacles majeurs dans leur vie quotidienne, s'engagent de plus en plus dans des débats : pauvreté et racisme ; les barrières à la participation ; les réformes électorales locales ; les villes pour la paix ; écologie et progrès ; la démocratie participative et le budget participatif ; le financement des gouvernements locaux ; la démocratie directe et l'initiative citoyenne ; les villes sœurs pour la démocratie ; le mondial et le local et la mondialisation par en bas. La liste de ces questions recouvre partiellement le programme d'une récente conférence de citoyens militants.

Quelque chose de significatif se développe. De la littérature critique est publiée ; des forums et des sommets se tiennent ; des mouvements urbains se regroupent. Une version du XXIe siècle de la Nouvelle gauche émerge dans plusieurs endroits importants du globe. Nous vivons, de nouveau, des temps d'espoir.

Stephen Shalom

Le nécessaire socialisme libertaire

Stephen Shalom est professeur de sciences politiques à la William Paterson University du New Jersey. Il a notamment publié The United States and the Philippines : A Study of Neocolonialism *(1981) ;* Imperial Alibis : Rationalizing US Intervention After the Cold War *(1993) ; et* Which Side Are You On ? An Introduction to Politics *(2003). Il a également édité ou coédité :* Socialist Visions *(1983) ;* The Philippines Reader *(1987) ;* Bitter Flowers, Sweet Flowers : East Timor, Indonesia, and the World Community *(2001) et* Perilous Power : The Middle East and U.S. Foreign Policy. Dialogues on Terror, Democracy, War, and Justice *(de Noam Chomsky et Gilbert Achcar, 2006). Le texte qui suit a été traduit par Guillaume Beaulac.* ∎

IL N'EST PAS FACILE DE CERNER les sources de ses propres croyances politiques et de mesurer l'importance relative que des facteurs intellectuels, historiques, sociologiques et psychologiques ont pu avoir sur notre parcours. Aux tenants de l'explication du radicalisme proposée par Frank Sulloway – selon qui les aînés d'une famille sont les plus conservateurs [1] –, je peux toutefois préciser que je suis l'aîné de cinq enfants et que le plus jeune de ma famille est le seul qui ne soit pas un radical.

J'ai grandi dans une famille de la haute classe moyenne habitant Brooklyn, New York ; mes parents étaient des libéraux aux origines syrienne et juive. Il y a de cela plusieurs années, Seymour Martin Lipset a suggéré que le radicalisme, parmi les Juifs de ma génération, pouvait, au moins en partie, être attribué à la contradiction entre l'idéologie libérale de leur famille et son style de

---

1. Frank J. Sulloway, *Born to be Rebel : Birth Order, Family Dynamics and Creative Lives*, New York, Vintage, 1996. [ndt] La traduction française s'intitule *Les enfants rebelles* et est publiée aux Éditions Odile Jacob.

vie matérialiste, principalement en ce qui concerne la présence de domestiques, qui – si on exclut les États du sud – étaient plus souvent employés par des Juifs que par des non-Juifs [1], et davantage encore par les Juifs d'origine syrienne.

Certes, le fait de se trouver dans des circonstances aussi favorables peut provoquer de la culpabilité – une culpabilité que certains radicaux décrivent d'ailleurs comme un sentiment libéral, puisqu'elle signifierait que l'action n'est pas accomplie par intérêt personnel : mais je dois avouer que je considère le fait de pouvoir bien dormir la nuit est un intérêt personnel de grande importance. De plus, si on laisse sa culpabilité prendre le dessus sur son bon sens et sur son jugement politique, cela peut conduire à une sorte d'arrogance et de vanité, voire même au cul-de-sac politique et moral que constitue le terrorisme. Mais ces remarques ne signifient pas que l'on devrait minimiser le rôle de la culpabilité et, en ce qui me concerne, je conviens qu'elle a joué un rôle substantiel dans le développement de mes idées politiques. Cela dit, un grand nombre d'étudiants radicaux issus de la classe moyenne et motivés par la culpabilité ont opéré en vieillissant un virage à droite et ont prudemment redéfini leur idées pour les ajuster à celles qui convenaient à la richesse et au pouvoir des positions qu'ils avaient obtenues. D'un autre côté, je suis aussi surpris du nombre de radicaux de ma génération qui ont conservé leurs convictions politiques. À ce propos, mais j'y reviendrai plus loin, je pense qu'un des buts les plus importants des mouvements activistes doit précisément être de rendre aussi facile que possible, pour les gens, de maintenir leurs convictions politiques et morales et de ne pas céder à la tentation d'adhérer à celles d'une autre classe.

En arrivant à l'université, j'étais libéral. Mais il y a dans le libéralisme des contradictions logiques qui conduisent inévitablement vers le radicalisme – si toutefois on a accès à l'information ainsi que le temps et la volonté de la consulter. Par exemple, comment une société structurée par le marché – qui nous encourage

---

1. Seymour Martin Lipset, « The socialism of Fools' : the Left, the Jews, and Israel », dans Mordecai S. Chertoff, *The New Left and the Jews*, New York, Pitman Pub. Co., 1971, p. 124-125.

à traiter autrui en objet – et par la compétition – qui nous encourage à considérer nos intérêts sans tenir compte de ceux des autres – pourrait-elle établir le genre de relations humaines que nous désirons ? Et encore : quelle base morale pourrait-il y avoir à une distribution inégale de la richesse et des possibilités ? Il semble évident que la chance ne peut fournir aucune justification morale à l'inégalité. En ce cas, l'inégalité de l'intelligence ne peut pas, elle non plus, constituer une justification morale, puisqu'elle n'a pas été acquise, mais constitue plutôt le résultat de la loterie génétique. Il n'y a alors d'autre choix que de rejeter le capitalisme, que ce soit dans sa version prônant un complet laisser-faire ou dans la version où il est modéré par divers programmes sociaux dispensés par l'État, mais où l'inégalité joue encore un rôle central puisque, dans le capitalisme, l'allocation des ressources et du travail est liée à la nécessité de maximiser les profits et de minimiser les pertes. De plus, si on prend au sérieux l'idéal libéral d'une véritable égalité des chances, on aboutit encore une fois à une contradiction, du moins si on ne met pas en place des mesures pour égaliser les résultats. C'est que dans une telle société, certains réussiront et d'autres échoueront. En ce cas, la génération suivante ne pourra plus vivre une situation d'égalité des chances – à moins d'éliminer totalement la famille comme institution, de manière à ce que les parents ayant réussi ne puissent pas passer leurs privilèges à leurs enfants.

Mais la contradiction du libéralisme qui m'a d'abord amené à mettre en doute les dogmes libéraux triomphants a été la guerre du Vietnam. Celle-ci, en effet, était principalement la guerre des libéraux. Il est vrai que Nixon et Kissinger étaient en charge du conflit à partir de janvier 1969 ; mais c'était bien sous les gouvernements de Kennedy et de Johnson, les derniers gouvernements véritablement libéraux, qu'avait commencé la guerre, qu'étaient morts la majorité des soldats états-uniens, qu'avait monté en flèche le nombre de soldats envoyés là-bas et qu'avaient débuté les bombardements systématiques du Nord et du Sud du Vietnam.

Par la suite, les admirateurs de Kennedy (et certains théoriciens du complot) allaient soutenir qu'il était sur le point de retirer les forces états-uniennes du Vietnam : mais les preuves avancées pour cette thèse ne sont pas convaincantes [1]. Certes, JFK voulait retirer des troupes, mais seulement après avoir remporté la victoire – et une telle position n'est pas tellement différente de celle adoptée en ce moment sur l'Irak par George W. Bush. Qui plus est, lorsque Lyndon B. Johnson va intensifier la guerre, plusieurs de ses principaux conseillers seront des personnes issues du gouvernement Kennedy : Rusk, McNamara, William P. Bundy, McGeorge Bundy, Henry Cabot Lodge.

Un des mystères de l'histoire politique des États-Unis concerne les mouvements étudiants de masse des années 1930 [2] et 1960 : pourquoi n'ont-il pas été reproduits dans les décennies suivantes ? Il y a évidemment à cela de nombreuses raisons, mais un facteur qui n'est pas souvent discuté est que les interventions états-uniennes en Amérique centrale, la première guerre du Golfe et la guerre actuelle en Irak se sont toutes déroulées sous des gouvernements conservateurs républicains [3]. Il s'ensuit que l'opposition à ces entreprises belliqueuses ne nécessitait pas de faire une critique radicale du libéralisme ; en fait, le libéralisme pouvait même être donné comme la solution à ces conflits. En disant cela, je ne veux pas nier que les Démocrates du Congrès, ayant peur d'être traités d'antipatriotiques par les *Busheviks*, ont de toutes sortes de manières rendu possible la guerre en Irak : mais au bout du compte, cette guerre était bien celle des néoconservateurs républicains. En 2003, il n'était pas nécessaire, pour s'opposer à la guerre, de mettre de l'avant une analyse radicale : il suffisait de citer des analystes *publiés dans les grands médias* – ou même quelqu'un comme Brent Snowcroft. La dérive vers la

---

1. Noam Chomsky, *Rethinking Camelot : JFK, the Vietnam War, and U.S. Political Culture*, Boston, South End Press, 1993.
2. [ndt] Du printemps 1936 au printemps 1939, jusqu'à 500 000 étudiants se sont mobilisés contre la guerre et pour des réformes à caractère social. Les revendications des étudiants comprenaient des demandes de financement fédéral pour l'éducation, de programme gouvernemental d'emploi, d'abolition du service militaire obligatoire, de liberté académique, d'équité raciale et de droits collectifs de négociation.
3. La guerre de Clinton au Kosovo était une guerre « libérale », mais sa courte durée et l'absence de combat au sol rendirent difficile la création d'une opposition substantielle.

droite de la culture politique faisait passer le libéralisme pour une solution de rechange au *statu quo*.

Au premier cycle de mes études universitaires, j'étais étudiant au Massachusetts Institute of Technology (MIT), une institution qui offrait un terrain fertile pour les idées radicales. D'abord, il s'y faisait un peu partout sur le campus de la recherche liée à la guerre et il était donc difficile de ne pas en venir à aborder des questions concernant la guerre et la paix. Il y avait aussi au MIT un climat étonnamment tolérant pour la dissidence (peut-être parce que de nombreuses personnes, en fait, ne s'intéressaient pas à ces enjeux). Comme j'en étais arrivé à contester la guerre du Vietnam et, plus généralement, à remettre en question l'idéologie libérale, j'ai recherché des gens qui auraient une pensée proche de la mienne. J'ai trouvé un noyau d'étudiants ayant, vaguement, des idéaux socialistes libertaires. Nous avons renforcé les uns les autres nos penchants et avons partagé des lectures et des idées. Nous étions soutenus et inspirés par des membres du corps professoral de l'institution qui nous étaient favorables, dont Noam Chomsky et Louis Kampf, qui donnaient ensemble un cours interdisciplinaire portant sur les changements intellectuels et sociaux, nous faisant connaître la critique du léninisme avancée par Rosa Luxembourg. Nous avons découvert le groupe Solidarity en Angleterre, une organisation libertaire ayant publié de nombreux pamphlets de grande valeur, principalement celui de Maurice Brinton, qui démolissait la version léniniste de l'histoire des premières années de la Révolution russe : *The Bolsheviks and Workers Control : 1917-1921*.

Plusieurs autres auteurs m'ont influencé, dont Paul Avrich (l'historien de l'anarchisme), Noam Chomsky, Daniel Cohn-Bendit, Dave Dellinger, Emma Goldman, Paul Goodman, André Gorz, Daniel Guérin, Anton Pannekoek, Bertrand Russell et Howard Zinn. J'ai pigé dans les traditions de l'anarchisme [1], de la gauche marxiste et du communisme de conseils.

1. L'anarchisme, bien sûr, existe en variétés de gauche et de droite. En 1993, j'ai fait un débat avec les libertariens – ceux de la droite – sur le thème : « Pourquoi chaque anarchiste devrait-il être un socialiste ? » J'ai conclu en mentionnant que « certaines des plus atroces violations de la liberté humaine ont été perpétrées par des États, malheureusement souvent par certains qui clamaient

J'étais éclectique dans mes lectures ; pendant un moment j'ai été abonné au journal du Socialist Labor Party, qui appartenait à l'« ancienne gauche », mais qui était antiléniniste et intéressé à des questions relatives à la nature du socialisme ; à d'autres moments, je lisais les journaux de l'International Socialists, une organisation trotskiste que je trouvais plutôt sensée – tant qu'il n'était pas question de la Révolution russe ou de la nécessité d'un parti d'avant-garde.

Même si on oublie aujourd'hui bien souvent, après l'éclatement du SDS [1] en de nombreuses factions dominées par divers groupes autoritaristes – le Progressive Labor Party, le Revolutionary Communist Party et les « Weatherman » – la Nouvelle gauche a toujours eu un important noyau libertaire. Parmi d'autres, *Radical America* et *Liberation* étaient deux journaux qui partageaient et renforçaient nos penchants. Cette tendance libertaire était particulièrement forte dans la région de Boston et, à la séparation du SDS, alors que de nombreuses sections dans le pays se sont rangées du côté d'un groupe ou d'un autre, plusieurs de celles de la région de Boston sont restées indépendantes. Au MIT, ma section s'appelait fièrement le « Rosa Luxemburg SDS », affirmant ainsi son orientation antiléniniste.

Le socialisme libertaire n'était malheureusement pas la seule idéologie au sein de la Nouvelle gauche et de nombreux groupes marxistes-léninistes ont gagné en influence jusqu'en 1969 quand, sous leur impact, la SDS a implosé. À mon avis, leurs pratiques autoritaires les ont rendus inaptes à conduire à de réels et profonds changements sociaux et ont fait rater une belle occasion de

le faire au nom du prolétariat. Pendant plus d'un siècle, les anarchistes ont averti des dangers d'une telle concentration du pouvoir étatique. Ce serait une ironie des plus cruelles si les anarchistes s'opposaient à un maître dictatorial pour accepter un autre maître – le pouvoir du capital – à sa place. Nous devons éliminer tous les maîtres au-dessus de nous. Nous devons nous lever pour la liberté. »

1. [ndt] Le SDS, *Students for a Democratic Society*, est une organisation étudiante états-unienne qui a existé de 1962 à 1969. Il y a une renaissance de ce mouvement depuis le début de 2006. Pour plus d'informations, consulter : http://www.studentsforademocraticsociety.org. [Lien consulté le 4 janvier 2007]

développer un mouvement de masse ayant une perspective à long terme. L'autoritarisme est l'une des affections qui afflige la gauche depuis des générations. Une autre a été son attitude non critique à l'endroit des régimes étrangers. Cela a été principalement débilitant dans le cas de l'asservissement à Moscou du Parti communiste, dont les membres changeaient d'opinion en l'espace d'un instant, conformément à ce qui était proclamé par le Kremlin. J'en suis venu à admirer le courage personnel et le dévouement de plusieurs membres du PC, spécialement quand ils étaient les seuls à lutter pour l'obtention de droits égaux pour les Afro-Américains ; mais je persiste à croire que leur subordination aux diktats de l'Union soviétique a sapé à la fois leurs engagements et leurs perspectives de succès.

Au sein de la Nouvelle gauche, les liens entretenus avec l'étranger n'ont jamais été aussi dommageables qu'ils l'ont été pour le PC, mais, à mon sens, ils n'en ont pas moins constitué une sérieuse faiblesse. En tant qu'anti-impérialiste, je souhaitais bien entendu le retrait des États-Unis du Vietnam ; je me suis également opposé à toutes les attaques contre Cuba, aux tentatives de subversion de ce régime, ainsi qu'au bellicisme dirigé contre la Chine. Je me rendais aussi parfaitement compte que si chacune de ces sociétés avait tant de difficultés à construire des institutions décentes, cela tenait en partie à certaines actions menées par les États-Unis. Si on consulte les documents officiels relatifs aux positions et aux actions des décideurs de la politique étrangère des États-Unis, on y découvre une abondance de références à la nécessité de saper tout changement social positif qui menacerait le système mondial capitaliste dominé par les États-Unis, puisque cela risquerait de constituer un exemple que d'autres seraient tentés de suivre, chose qu'il fallait à tout prix empêcher [1]. Mais, cela dit, il était également essentiel de ne pas penser à ces sociétés du tiers-monde comme à des modèles que nous devions suivre ni d'endosser automatiquement tout ce que leur gouvernement faisait. Certes, plusieurs des défauts allégués

---

1. Voir, par exemple, les citations dans Noam Chomsky, *On Power and Ideology : The Managua Lectures*, Boston, South End Press, 1987, p. 34-40.

de ces régimes étaient en fait de la propagande qu'il était important de réfuter. Cependant, tout ce qui était dit n'était pas faux : ces gouvernements *étaient vraiment* non démocratiques et leur traitement des dissidents, des syndicats, des homosexuels et des intellectuels *était vraiment* abominable. La répression en Chine était monstrueuse. Oui, Cuba possède des systèmes de santé et d'éducation impressionnants, qui font l'envie de la plupart des nations latino-américaines. Ces exemples sont importants et permettent de montrer que le *statu quo* dans cet hémisphère n'est pas du tout inévitable. Mais il n'y a pas de raison de choisir entre la démocratie et les soins de santé. Les deux sont possibles à Cuba, et les deux sont certainement possibles aux États-Unis ou ailleurs.

Lorsque la gauche glorifie des régimes dictatoriaux, elle se nuit à elle-même de bien des manières. Tout d'abord, il devient beaucoup plus difficile d'attirer de nouveaux membres. Il se peut que les pauvres du tiers-monde, considérant leurs conditions de vie lamentables, concluent qu'ils n'ont rien à perdre en se joignant à la gauche. Mais, pour les Occidentaux, il y a beaucoup plus à perdre et si nous leur offrons un modèle de dictature répressive, ce n'est pas surprenant que plusieurs choisissent de rejeter nos perspectives. De plus, un mouvement qui minimise continuellement l'importance de la démocratie dans le tiers-monde ne mettra vraisemblablement pas l'accent sur celle-ci dans ses propres luttes. Enfin, la désillusion par rapport aux mauvais régimes conduit bien des militants à quitter le mouvement.

Au cours des dernières années, le manque de perspective critique par rapport aux régimes étrangers a pris une nouvelle tournure au sein de certaines parties de la gauche occidentale. Convaincus que tout ennemi des États-Unis doit être un ami, certains gauchistes ont célébré non seulement des gauchistes autoritaires, mais aussi des fondamentalistes et des réactionnaires qui se sont opposés à Washington. Par exemple, le Party for Socialism and Liberation (une division du Workers World Party créée en 2004) a écrit :

> La vraie raison pour laquelle [Saddam] Hussein et les membres de son gouvernement sont jugés et font aujourd'hui face à des exécutions, est qu'ils ont osé se lever contre l'impérialisme des

États-Unis. Toutes les autres accusations sont une mise en scène créée pour tromper l'opinion publique[1].

Il est certes raisonnable de remttre en question plusieurs aspects proéduraux du procès ; d'accuser le gouvernement états-unien d'être hypocrite de condamner Hussein aujourd'hui pour des actes qui n'ont pas été remarqués hier, quand il était allié à Washington ; ou encore de noter que George W. Bush devrait aussi être jugé[2]. Par contre, soutenir que le bilan des impitoyables atrocités de Saddam Hussein n'est qu'une « mise en scène », c'est faire preuve d'un incroyable aveuglement.

De même, d'autres à gauche lancent des slogans comme : « Appuyons la résistance en Irak » ou donnent leur aval au Hezbollah ou encore au Hamas. Il est bien évidemment outrancier de prétendre justifier – comme l'ont bien fait quelques gauchistes dépassés – les agressions états-uniennes contre des régimes antidémocratiques ; mais il n'y a aucune contradiction à s'opposer à ces agressions et à refuser de soutenir ceux qui les subissent[3].

Je me sens donc parfaitement à l'aise d'avoir signé des déclarations affirmant : « Nous nous opposons à Saddam Hussein et à

1. [ndt] Traduit de Sunil Freeman, « U.S. War Criminals Stage Show Trial for Saddam Hussein », *Socialism and Liberation*, août 2006, disponible à http://socialismandliberation.org/mag/index.php?aid=665. [Lien consulté le 4 janvier 2007] Ramsey Clark, un proche du PSL, a été l'un des avocats de Saddam Hussein. Dans la description des ses objectifs, le PSL affirme sur son site Internet http://www.pslweb.org/site/PageServer?pagename=AboutUs [Lien consulté le 4 janvier 2007] : « Nous nous battons pour le socialisme, un système où la richesse de la société appartient à ceux qui la produisent, la classe ouvrière, et où elle est utilisée à la fois d'une façon planifiée et tenable pour le bénéfice de tous. Au lieu de l'avidité, de la domination et de l'exploitation, nous luttons pour la solidarité, l'amitié et la coopération entre tous les peuples. » Notez qu'il n'y a pas là de concept de contrôle de leur propre destinée par les travailleurs – le mot « démocratie » n'y apparaît pas non plus.
2. Voir Aaron Glanz, « Bush and Saddam Should Both Stand Trial, Says Nuremberg Prosecutor », *OneWorld US*, 25 août 2006. Disponible en ligne : http://us.oneworld.net/external/?url=http://us.oneworld.net. [Lien consulté le 4 janvier 2007]
3. Voir mon argumentaire en faveur de la résistance irakienne dans « The Anti-War Movement and Irak », *ZNet*, 24 mai 2005. En ligne : http://www. zmag.org/content/showarticle.cfm?ItemID=7933. [Lien consulté le 4 janvier 2007]

la guerre états-unienne en Irak » (novembre 2002) [1] ou encore :
« Iran : Ni agression états-unienne ni répression théocratique »
(mai 2006) [2].

Un enjeu qui m'a intéressé dès que je me suis engagé dans
la politique radicale a été la nature de la société en faveur de
laquelle je me battais. Il me semblait qu'il n'était possible de
condamner un ordre social que si on avait une meilleure solution
à proposer et que la gauche devait donc penser très sérieusement
à de telles solutions. Dès 1983, j'ai d'ailleurs publié un recueil
d'essais et de débats portant justement sur ce que j'appelais des
visions socialistes – *Socialist Visions*. Dans l'introduction de ce
livre, j'écrivais :

> Les socialistes ont démontré la faillite du capitalisme au-delà de
> tout doute raisonnable. De très nombreux États-Uniens – qui sont,
> après tout, essentiels à toute transformation sociale en profondeur
> – ont alors dit : « C'est exact. La situation est abominable. Mais
> existe-t-il un système qui serait meilleur ? » C'est là une préoccu-
> pation légitime. Les conditions sont abominables aux États-Unis,
> mais elles ne constituent certainement pas le pire des mondes pos-
> sibles. Il n'est pas vrai que *n'importe quoi* pourrait être mieux, et
> il est assez évident, aux yeux de la plupart des États-Uniens, que
> plusieurs choses qui se sont déroulées sous le nom de socialisme
> ont été pires encore. Et la conviction de la gauche selon laquelle
> le socialisme *ne signifie pas* une bureaucratie omniprésente, du tra-
> vail forcé, une police secrète ne suffira pas à elle seule à convaincre
> le peuple états-unien. Il faudra y ajouter une explication claire de
> ce que le socialisme *veut dire*. De même, si le modèle de société
> mis de l'avant par la gauche semble aux gens entièrement irréaliste,
> ils continueront de préférer le *statu quo*. Bref : seule une vision du
> socialisme véritablement inspirante et crédible peut donner du sens
> à la critique socialiste du capitalisme [3].

1. En ligne : http://home.igc.org/~jlandy/cpd/antiwar/1001/stmt.html.
[Lien consulté le 4 janvier 2007]
2. En ligne : http://home.igc.org/~jlandy/cpd/antiwar/1005/stmt.html.
[Lien consulté le 4 janvier 2007]
3. « Introduction », dans Stephen Rosskamm Shalom, *Socialist Visions*,
Boston, South End Press, 1983, p. 1-2.

Pourtant, plusieurs personnes, à gauche, semblent considérer que la réflexion sur les visions est une perte de temps. Certains vont même plus loin et soutiennent que le fait d'imaginer une société future est, de façon inhérente, quelque chose d'élitiste – une tentative pour imposer à autrui une vision. Cette critique me semble profondément erronée.

Il est vrai qu'il serait très certainement élitiste – et même carrément dictatorial – que quelques-uns cherchent à imposer leur vision à tous les autres ; mais ceux parmi nous qui prennent au sérieux le besoin de discuter de ces idées n'imposent rien à personne. Le but est plutôt d'essayer de formuler une vision plausible et attirante et de la soumettre à la discussion. Ces visions pourront être rejetées ; d'autres, meilleures, seront proposées ; celles-ci, à leur tour, seront modifiées, nul doute plusieurs fois et de façon substantielle. Mais si personne n'apporte quoi que ce soit à la discussion, celle-ci n'aura jamais lieu. Nous devons donc être précis et entrer dans les détails afin de montrer que les buts que nous poursuivons peuvent être atteints – mais sans prétendre prononcer le dernier mot sur les sujets discutés : ces précisions ont pour but de lancer la conversation sur une vision, et non de la clore.

Les essais réunis dans *Socialist Visions* abordaient non seulement les institutions économiques et politiques d'une société saine, mais aussi les thèmes de la race et du sexe. Je ne sais toujours pas jusqu'à quel point le racisme et le sexisme peuvent être éliminés dans le contexte d'une société capitaliste – à ce sujet, il nous faut regarder du côté des pays scandinaves, et non des États-Unis, pour avoir une idée de ce qu'il est possible de réaliser du point de vue de l'égalité des sexes sous le capitalisme. Ce qui est clair pour moi, c'est que les mouvements pour les changements politiques et économiques ne peuvent pas réussir – et ne méritent pas de réussir – s'ils n'abordent pas le racisme, le sexisme et l'hétérosexisme. À mon avis, les mouvements militants doivent appuyer les demandes, réformistes, de discrimination à rebours – mais ce n'est là que la partie facile de la tâche qui les attend. La partie la plus difficile concerne les dynamiques de races et de genres à l'intérieur même des mouvements militants.

Les hommes blancs, tout particulièrement, doivent être sensibles aux préoccupations des femmes et des personnes de couleur mais, en même temps, ils doivent éviter de tomber dans une déférence non critique envers tout ce qu'ils proposent. J'ai vu des organisations échouer aussi bien en raison d'une insensibilité à la question raciale que pour la raison contraire. Au sein de la gauche, du moins aux États-Unis, les relations entre les races restent tendues.

Si mon allégeance au socialisme libertaire n'a pas diminué, mes opinions ont cependant été modifiées par des événements mondiaux, et cela, pas toujours dans la direction attendue.

La chute du bloc de l'Est n'a eu que peu d'impact sur mes valeurs politiques. N'ayant jamais considéré l'Union soviétique comme un modèle à suivre en matière de transformation sociale, je n'ai absolument pas considéré que ma vision politique devait être repensée à cause de cet événement. Qu'une société dirigée par un parti dictatorial persiste ou non ne nous dit rien du tout sur la possibilité ou la désirabilité du socialisme libertaire. Comme je l'ai écrit en avril 1989, aux heures du triomphalisme capitaliste :

Le socialisme est-il mort ? Le capitalisme est-il la voie d'avenir ?

La réponse courte est que le socialisme ne peut pas être mort parce qu'il n'est pas encore né. Aucun État n'a jamais été véritablement organisé selon les préceptes socialistes. Parler de la sorte peut sembler une façon de se défiler, une manière de défendre le socialisme *a priori* et par définition, en proclamant qu'aucune déconfiture ne pourrait discréditer le projet socialiste, parce qu'il ne s'agit pas, à chaque fois, du « vrai » socialisme. Une telle position a ses pièges, mais elle ne peut être évitée. Le socialisme doit être défini minimalement comme une société dans laquelle toutes les institutions majeures sont détenues et contrôlées par le peuple, et par tout le peuple : et donc, à l'évidence, pas seulement par des capitalistes et pas davantage par un parti qui affirme diriger dans les intérêts de la classe ouvrière. Selon cette définition, il n'y a jamais eu de société socialiste [1].

Il y a cependant deux choses à propos desquelles la chute de l'Union soviétique m'a conduit à revoir mes analyses. Premièrement, j'avais toujours admis comme un truisme que la classe

1. « Capitalism Triumphant ? », *Z Magazine*, avril 1989.

dirigeante ne céderait pas son pouvoir sans combattre. Mais l'effondrement de l'Union soviétique, qui s'est fait presque sans coup de feu, a montré que la classe dirigeante, face à une crise de légitimité, pouvait, sur un coup de dés calculé, tenter de raffermir son règne et que cela *pouvait* mener à sa chute. Rien ne garantit cependant que ce sera le cas : Nicolae Ceaucescu, en Roumanie, comme bien d'autres, a essayé de se maintenir en place jusqu'à la toute fin, tuant de nombreuses personnes dans cette tentative. Par contre, la perspective bien réelle d'un État autoritaire apparemment puissant se désintégrant tout simplement offrait un espoir nouveau pour le changement social[1]. De plus, cela nous rappelait que le défi crucial pour la gauche est de répandre ses idées – certains rejetteront cette conclusion comme idéaliste, mais Marx lui-même avait déjà compris que « la théorie devient aussi une force matérielle une fois qu'elle a saisi les masses ».

Un deuxième aspect à propos duquel la chute de l'Union soviétique m'a fait réviser mes analyses concerne les politiques de droite ayant émergé dans les anciens États communistes.

J'avais donc espéré que des gens nouvellement libérés de la dictature seraient plus enclins à fusionner le cœur humaniste de la rhétorique communiste avec la démocratie tout juste découverte et à aller vers un ordre social décent. Solidarnosc, en Pologne, et tant d'autres dissidences progressistes invitaient à penser que le potentiel pour une politique libertaire était là. Le résultat, cependant, a été effarant. Le néolibéralisme était de retour, mais assoiffé de vengeance ; il a eu un impact tellement épouvantable sur la vie des gens que certains sont nostalgiques de Staline[2] : ce fait, sinistre, en dit long sur les bienfaits du capitalisme. Mais il en dit hélas aussi long sur le travail accompli par la gauche pour faire passer son message, à savoir que ni le capitalisme ni le communisme soviétique ne peuvent produire une société saine. Il semble en effet que, pour trop de gens, ce sont

---

1. Il est certain que plusieurs communistes haut placés se sont simplement convertis en dirigeants capitalistes. Mais le point crucial est que leur vaste appareillage répressif n'a pas pu maintenir le système en place.
2. Voir, par exemple, Nick Paton Walsh, « New Russians Gripped by Stalin's Old Spell », *The Guardian* (Londres), 21 avril 2005, p. 19.

là les seules options possibles et que l'échec de l'un des modèles mène inexorablement à l'adoption de l'autre.

Si l'on prend en compte l'impact que peut avoir le fait d'être soumis durant toute sa vie à la propagande médiatique, si l'on considère la structure des personnalités qui se développent comme autant de mécanismes de survie sous le capitalisme et le communisme, alors on conçoit que les idées libertaires n'émergent pas toutes seules et automatiquement. Comme l'a noté Robin Hahnel [1], les libertaires ont eu raison de rejeter le point de vue léniniste selon lequel, sans l'aide d'un parti d'avant-garde, les travailleurs ne peuvent pas parvenir à plus qu'une conscience syndicale ; mais cela ne veut pas dire que dès que les circonstances sont favorables, les gens vont spontanément mettre sur pied des institutions émancipatrices. Le mouvement anarchiste en Espagne, par exemple, n'est pas apparu du jour au lendemain. Les longues résolutions ayant été adoptées au congrès de Saragossa, en 1936, « avaient été retravaillées par chaque congrès de la section espagnole de la Libertarian International à partir de 1870 [2] ». Le sort du bloc de l'Est m'a donc convaincu que la tâche de proposer, de débattre et de promouvoir une vision était plus importante que jamais.

Au cours des dernières décennies, les États providence de l'ouest de l'Europe et leurs partis sociaux-démocrates ont adopté de plus en plus de politiques néolibérales. Aux yeux des sociaux-démocrates sincères, cette situation était troublante. J'y vois pour ma part la continuation d'une tendance à long terme, exacerbée par les effets de la mondialisation et par le déclin des mouvements sociaux. J'ai étudié l'histoire du Parti social-démocrate d'Allemagne (SPD) et constaté comment cette organisation radicale en est venue à appuyer la Première Guerre mondiale et le capitalisme. Certains ont attribué cela à de mauvais dirigeants ; Robert Michels a accusé la « loi de fer de l'oligarchie », qui trans-

---

1. Robin Hahnel, *Economic Justice and Democracy : From Competition to Cooperation*, New York, Routledge, 2005, p. 145-146.
2. *Ibid.*, p. 145.

forme inévitablement même l'organisation la plus révolutionnaire en une bureaucratie conservatrice [1].

Michels, me semble-t-il, a partiellement raison. La bureaucratisation antidémocratique s'installera en effet inévitablement – à moins que les structures et les institutions soient sciemment pensées pour minimiser ce danger.

Dans la période précédant la Première Guerre mondiale, le SPD avait une presse vivante, mais pas de réelles structures permettant de construire et de maintenir la participation de la base [2]. Après la Seconde Guerre mondiale, le SPD, au lieu du socialisme, a accepté la « codétermination » – en vertu de laquelle des officiers syndicaux étaient élus pour siéger aux conseils d'administration des entreprises. On ne s'en étonnera pas : cette stratégie, loin de donner davantage de pouvoir à la classe ouvrière, a transformé les représentants des travailleurs en copies conformes des représentants du capital.

La dérive à droite de la social-démocratie au cours des dernières années n'est donc rien de nouveau, même s'il est vrai qu'elle s'est accélérée. Et la façon de régler ce problème est de créer, dès aujourd'hui, au sein même de nos mouvements, des institutions qui préfigurent les structures que nous souhaitons avoir dans une société saine. En particulier, il est crucial de mettre sur pied des institutions qui ne soient pas seulement formellement démocratiques, mais qui encouragent la participation et la délibération.

Un autre problème récurrent a été que les sociaux-démocrates ont abandonné leur vision à long terme et pensé qu'une accumulation de réformes fragmentaires serait suffisante. Mais de telles

1. Robert Michels, *Political Parties : A Sociological Study of the Oligarchical Tendencies of Modern Democracy*, New Brunswick (NJ), Transaction Books, 1999. [ndt] La traduction française s'intitule *Les partis politiques* et est parue aux éditions Flammarion.

2. Je ne veux pas suggérer qu'un sondage auprès des membres enregistrés du SPD en 1914 les aurait montrés à gauche de leurs chefs. Ce que j'avance n'est pas en lien avec les opinions des membres du SPD à un moment en particulier, mais ce que leurs visions auraient pu être s'ils avaient eu des années d'expérience comme membres ayant la possibilité de participer aux structures d'un parti radical et détenant un pouvoir au sein de celui-ci.

réformes ne peuvent pas, par elles-mêmes, conduire à une société qui incarnerait nos valeurs.

C'est que lorsque les capitalistes se sentent menacés par un programme de réformes modérées, ils peuvent toujours refuser d'investir et ainsi miner l'économie et, avec elle, les perspectives électorales des réformateurs [1]. C'est seulement en assurant que le pouvoir du capital est sous contrôle démocratique – ce qui nécessite un mouvement engagé envers le socialisme – que nous pouvons parvenir à une société saine.

Le tragique écrasement du gouvernement Allende au Chili, en 1973, a fait dire à plusieurs personnes de gauche que cela prouvait la futilité de la voie électorale vers le socialisme : seul un État impitoyable, qui ne perdrait pas de temps avec les subtilités démocratiques, pourrait maintenir son pouvoir contre les assauts de l'impérialisme états-unien. Je considère que cet argument a trois failles.

D'abord, nous savons que les États non démocratiques qui faisaient partie du « camp socialiste » n'ont bien souvent pas été tellement plus efficaces contre le pouvoir de l'impérialisme états-unien – pensons à l'Union soviétique, à l'Europe de l'Est et aux divers régimes en Éthiopie, en Afghanistan, en Chine ou au Vietnam, qui ne sont aujourd'hui pour personne des modèles de socialisme.

Ensuite, il ne m'apparaît pas du tout clair qu'un régime dictatorial qui se maintient lui-même au pouvoir par la répression soit plus apte à soutenir la pression extérieure qu'un gouvernement ayant l'appui populaire. La grande force de Chávez, au Vénézuela, est précisément le fait qu'à chaque scrutin, il constate qu'il a l'appui de la majorité de la population.

Enfin, et surtout, s'il était vrai que seul un régime avec des goulags peut se défendre contre l'agression, cela ne nous montrerait pas comment défendre le socialisme, puisqu'une telle société

---

1. C'est une leçon que même un Démocrate modéré comme le président Bill Clinton a apprise. Comme il l'a dit à ses conseillers économiques : « Vous voulez dire que le succès du programme et de ma réélection a comme charnière [...] une bande de foutus échangeurs d'actions ? » Cité dans Bob Woodward, *The Agenda : Inside the Clinton White House*, New York, Simon & Schuster, 1994, p. 84.

ne serait certainement pas socialiste et ne vaudrait pas la peine d'être défendue.

Une autre question, proche de la précédente, et qui a été maintes fois discutée à gauche est celle de la violence et de la non-violence.

Je ne suis pas un pacifiste ; je crois qu'il y a des moments où la violence est justifiée et nécessaire pour la poursuite de la justice sociale. Mais il me semble que trop de gens, à gauche, sous-estiment les conséquences négatives de l'emploi de la violence. Celle-ci tend à renforcer les structures non démocratiques – puisque la violence nécessite habituellement des actions secrètes et militaires qui laissent rarement le temps à la délibération démocratique ; à interférer avec le but de construire des relations politiques avec les gens de l'autre camp ; à privilégier ceux qui sont aptes à s'engager au combat – ceux qui n'ont pas de responsabilités familiales, par exemple ; à nous rendre moins sensibles à la souffrance humaine ; et à faire de nous des proies faciles pour des *agents provocateurs* [1].

De plus, la non-violence peut être incroyablement efficace. Prenons l'exemple de la Palestine. La seconde Intifada – hormis les objections morales substantielles à prendre pour cibles des civils – a été beaucoup moins efficace que ne l'aurait été une campagne de désobéissance civile de masse ; au lieu de renforcer les éléments de la droite en Israël et de s'aliéner des soutiens extérieurs potentiels, une telle campagne aurait permis d'attirer des alliés venant du mouvement israélien pour la paix et de l'étranger et cela aurait mis beaucoup plus de pression sur l'occupation que ne le peut une campagne militaire disparate. De même, ceux qui croient que seuls des dispositifs explosifs artisanaux pourront forcer les États-Unis à se retirer d'Irak ignorent le formidable pouvoir qui serait celui de manifestations non violentes où seraient présents des millions d'Irakiens.

Le changement social aux États-Unis se fera-t-il dans la violence ? Je ne le sais pas. Ce qui est certain, c'est que ce n'est pas inévitable – comme le suggère l'exemple de l'Union soviétique. Cela dépendra en partie du comportement des défenseurs

---

1. [ndt] En français dans le texte original.

de l'ancien régime. Et nous voudrons certainement faire ce que nous pouvons pour minimiser la violence. Par contre, le changement ne viendra que s'il y a un mouvement colossal, impliquant une majorité de la population, faisant vigoureusement pression pour un nouvel ordre social : construire un tel mouvement doit donc être la priorité absolue de la gauche.

Il y a eu un moment, en 1970 – alors que les grèves contre la guerre se répandaient dans tout le pays –, où j'ai cru que la révolution était imminente. Les développements sociaux ne sont bien entendu pas faciles à prévoir – peu de gens avaient prévu l'effondrement de l'Union soviétique ; mais, à l'heure actuelle, ma conviction est que le système capitaliste mondial existera pour encore un bon moment. La dérive généralisée vers la droite qu'on observe dans le monde entier depuis quelques décennies me donne à le penser – malgré quelques victoires remportées ici et là.

Cette conviction ne change en rien ni mon désir d'un avenir socialiste libertaire ni mon espoir que cela viendra – le plus tôt possible, conformément à ce pessimisme de la raison et cet optimisme de la volonté dont parlait Gramsci. À vrai dire, j'aspire plus que jamais à un tel avenir, parce que je ne suis pas certain que l'espèce humaine pourra survivre aux dangers d'un holocauste nucléaire et aux catastrophes environnementales à moins qu'il n'y ait, bientôt, un changement de voie. Mais un tel programme à long terme a de très nombreuses implications politiques.

En premier lieu, plus le cadre temporel est étendu, plus nous devons être attentifs aux réformes qui permettent de s'approcher de notre but ultime. Les réformes sont importantes pour améliorer la vie des gens *hic et nunc* – il ne s'agit pas là d'un détail anodin – et pour nous donner l'expérience de victoires, ce qui permet de maintenir notre énergie en vue de l'assaut final. Si se battre pour des réformes comporte bien certains dangers, l'un d'eux *n'est pas* de rendre le monde meilleur et de minorer par là le besoin de transformations plus profondes (si des réformes convainquent les gens qu'il n'y a plus de changement nécessaire, ce pourrait être qu'il n'y a effectivement plus de changement qui le soit). Le véritable danger des réformes est plutôt que si nous utilisons des arguments opportunistes et malhonnêtes pour les gagner, nous pourrions miner nos perspectives à long terme. Considérez l'exemple de la guerre en Irak. Certains, au sein du mouvement contre la guerre, croient que le principal argument que nous devrions présenter en faveur du retrait des troupes états-uniennes d'Irak est que ce serait là la meilleure façon d'appuyer nos troupes, et donc ce qu'il faut faire pour mettre un terme aux souffrances endurées par nos soldats. Examinons cela. Imaginons que quelqu'un ait déclaré en 1944 : « Ramenez les troupes de Normandie, parce qu'il s'agit de la meilleure façon de les soutenir. » Nous voulions certes soutenir nos soldats ; mais nous voulions aussi la défaite de Hitler et la fin de la domination nazie en Europe. En d'autres mots, il ne peut pas être décidé de « ramener les troupes au pays » sur la seule base que nous souhaitons appuyer les soldats. La nature de la guerre doit être prise en compte. La guerre en Irak est injuste et cette guerre injuste doit être stoppée. Mettre fin à la guerre serait *en outre* un bienfait pour les troupes, mais cela n'est pas la raison fondamentale pour arrêter la guerre.

D'autres soutiennent que si nous voulons que la guerre cesse, nous devrions utiliser n'importe quel argument pour que le peuple états-unien s'y oppose. Ce qu'ils disent en substance, donc, c'est que même si l'argument demandant d'« appuyer nos troupes » n'est pas une raison valable pour arrêter la guerre, si cela permet de faire changer l'opinion publique, il faut quand même l'utiliser.

Outre qu'il est important pour le mouvement contre la guerre de maintenir son intégrité, ce type d'argument peut être très dangereux. Si nous convainquons le public que le but fondamental est de réduire le nombre de soldats états-uniens tués, alors la conclusion qu'il risque de tirer est non pas qu'il faut arrêter la guerre, mais que nous devrions convertir la guerre sur terre en une guerre dans les airs – ce qui permettrait qu'il y ait moins de morts parmi nos soldats, mais beaucoup plus de morts parmi les civils irakiens. Nous nous opposons autant à la guerre sur terre qu'à la guerre dans les airs et nous devons nous assurer que nos arguments amèneront les gens à s'opposer à l'une comme à l'autre.

Nous aurons fréquemment à faire des compromis. Ce n'est pas un péché. Et ce ne sera un problème que si nous sommes malhonnêtes par rapport à ce que nous faisons ou si nous croyons qu'un compromis peut vraiment régler des problèmes ayant des racines plus profondes.

Une deuxième conséquence qu'il y a à voir les choses à long terme est que nous devons nous préparer à une longue lutte. La gauche états-unienne a tendance à promouvoir des tactiques qui sont efficaces à court terme mais qui brûlent les militants lorsque le parcours s'allonge. Si nous attirons quelqu'un à une manifestation et que son expérience le convainc de ne jamais plus participer à une autre, nous avons échoué, peu importe comment la première manifestation se sera déroulée. Si nous avons obtenu quelques votes supplémentaires pour un *protest candidate*[1], mais sans que cela vise la constitution d'un troisième parti, nous avons échoué.

Ce serait certes fantastique si chacune des jeunes personnes s'étant radicalisée militait ensuite à plein temps le reste de sa vie. Mais ce n'est pas ce qui arrive en général et nous devons développer des façons de garder nos militants, même quand ils doivent avoir un travail conventionnel pour soutenir leur famille. Nous avons besoin d'une vision pour les animer et les soutenir, mais aussi des tactiques et des institutions pour le faire.

Alors quelle est cette vision qui les animera, au-delà de la simple expression « socialisme libertaire » ? J'ai développé ailleurs ma vision politique, mais cet effort reste modeste[2]. J'y propose un système de conseils qui est tout à la fois démocratique, participatif et délibérant. Ce système est conçu de manière à permettre

---

1. [ndt] Aux États-Unis, un *protest candidate* est un candidat qui se présente aux élections et qui ne fait pas partie des partis politiques traditionnels, soit les Démocrates et les Républicains. Alors qu'ils sont habituellement une façon élégante d'annuler un vote, ceux-ci n'ont habituellement pas de réelle chance de gagner et c'est pour cette raison que Stephen R. Shalom parle de la création d'un éventuel troisième parti.

2. Voir « Parpolity : Political Vision for a Good Society », *ZNet*, 22 novembre 2005. Disponible en ligne : http://www.zmag.org/content/showarticle.cfm?SectionID=41\&ItemID=9178.[Lien consulté le 10 juillet 2007]

des interactions face à face et à éviter les risques d'isolement et d'inefficacité que peut entraîner la vie au sein de collectifs autonomes. Il permet de respecter la volonté de la majorité, mais comporte aussi de nombreuses protections pour les minorités. Bien évidemment, ce système ne peut pas être détourné à leur profit par les plus riches.

Ma vision économique serait cohérente avec de telles institutions politiques : pour prendre des décisions, on s'en remettrait à la planification participative plutôt qu'au marché ou à la planification centrale. Le principe de base pour la rémunération serait de compenser selon le sacrifice et le besoin et pas selon les résultats de la loterie génétique. De façon cruciale, cette économie ne serait pas conçue comme un simple secteur de la société destiné à offrir des biens et des services, mais comme quelque chose qui contribue à forger nos besoins et nos désirs : son succès serait jugé, en grande partie, par le degré auquel il encourage la solidarité, la coopération et l'autogestion. Le modèle proposé par Michael Albert et Robin Hahnel et appelé économie participaliste [1] me semble être un excellent point de départ pour un système économique qui incarnerait ces principes.

Je n'ai aucun doute qu'émergeront de meilleures idées politiques et économiques pour une société saine et qu'apparaîtront également des visions relatives aux questions de race, d'ethnicité et de relations internationales.

Le développement de ces idées est une tâche vitale pour la gauche : ce n'est qu'avec des visions attrayantes que nous pourrons avancer et remporter de grandes victoires. Et ce n'est qu'avec ces visions que nous mériterons de les remporter.

---

1. Voir Michael Albert, *Parecon : Life After Capitalism*, New York, Verso, 2003 ou R. Hahnel, *Economic Justice and Democracy*, Londres, Routledge, 2005.

Normand Baillargeon et Jean-Marc Piotte

Conclusion

L'AMBITION DES PAGES QUI SUIVENT n'est pas de résumer les contributions précédentes, mais bien de proposer à la réflexion des thématiques qui nous semblent permettre d'avancer des éléments de réponse aux interrogations que nous avions en demandant à leurs auteurs de les produire. Nous en profiterons pour donner quelques repères historiques utiles pour comprendre les thèmes abordés par nos auteurs.

Nous organiserons nos observations sous quatre rubriques : Devenir militant ou militante ; Figures du militantisme : la montée des luttes, ou l'optimisme de la volonté (env. 1960-1980) ; Figures du militantisme : la revanche du pouvoir ou le pessimisme de la raison (depuis 1980 env.) ; Bilan et prospectives.

Devenir militant ou militante

On ne s'en étonnera pas : le très vif sentiment d'injustice est récurrent dans ces textes. Il est en général ressenti très jeune et apparaît parfois d'emblée, inévitable, devant la misère qui s'étale autour de nous et nous entoure – ainsi d'Eliana Cielo : « On était très sensibles à ce niveau-là, on voyait l'injustice, la pauvreté. Pour nous, les riches étaient des gens qui commettaient beaucoup d'injustices : je connaissais l'injustice *en carne y hueso* (en chair et en os), pas par les livres. »

On la ressent d'autres fois dans l'écart entre notre propre position sociale et économique et celle des gens avec qui la vie nous met en contact – ainsi de Louis Gill, fréquentant des collèges puis des universités, bourgeois et riches, et y apprenant, dans l'écart entre son modeste milieu familial et ces institutions d'éducation, la réalité des classes sociales.

On découvre parfois l'injustice parce qu'on appartient à ces classes sociales favorisées et qu'on ressent l'abîme qu'il y a entre les membres de notre classe et les gens qui nous entourent. Le milieu familial d'où elle provient amène ainsi Françoise David à prendre conscience des inégalités sociales : « Si nous avions ces privilèges, d'autres, par définition, ne les avaient pas.» Stephen Shalom, également issu d'un milieu aisé, évoque quant à lui, en un passage particulièrement original, la culpabilité qu'induit une telle situation de classe et son rôle dans le développement d'une conscience politique.

Mais la prise de conscience des injustices n'est pas la seule voie de la radicalisation politique. Dimitri Roussopoulos évoque pour sa part le conflit ou la contradiction qu'il a ressenti, enfant, entre les images de la Deuxième Guerre mondiale qu'il a pu voir et la beauté de l'art qu'on cherchait à lui faire apprécier. « Très tôt, j'ai développé la conviction que tous les êtres humains avaient les attributs nécessaires pour aimer la beauté et pour y contribuer d'une façon ou d'une autre. Développer les capacités créatrices de tout être humain contre tout ce qui les entrave, voilà le défi qu'il faut comprendre et transformer en action sociale et politique.» On rapprochera ces remarques de celles de Michael Albert, d'André Dudemaine ou de Françoise David rappelant le rôle de la chanson dans le développement de leur conscience sociale ; ou encore de celles de Judy Rebick, qui reconnaît devoir à la littérature (*Soul on Ice*) de comprendre le sens et l'étendue de ce racisme qu'elle découvre et exècre.

Intimement liées à cette perception de l'injustice, la rébellion, la révolte et l'indignation sont, elles aussi, des composantes remarquablement constantes du processus de politisation que tous et toutes décrivent. Citons parmi tant d'autres les mots de Judy Rebick qui évoque sa rébellion contre « les structures d'une société répressive et sexiste » ainsi que « le racisme qui s'étalait [à New York] » ; ou ceux de Michael Albert s'indignant devant « les horreurs que nous commettions au nom de la démocratie [...] l'accumulation du capital et la poursuite sans entrave du profit [...] l'impérialisme, ce stade suprême de l'injustice».

La politisation radicale est un processus par lequel les sentiments que nous venons d'évoquer se font plus articulés et réfléchis. Ce processus conduit de la perception de l'injustice, et de la révolte qu'elle engendre, au militantisme. Notons cependant qu'Eliana Cielo, née dans le bien différent contexte sud-américain, fait, pour sa part, une autre expérience de cette dialectique du sentiment de l'injustice et de l'action militante. Dans son cas en effet, si on peut le dire ainsi, c'est moins le sentiment de l'injustice qui conduit au militantisme que le militantisme qui, comme condition originelle traduite dans des gestes et des actions concrets, conduit à la reconnaissance et à la désignation des sentiments qui le rendent nécessaire, lesquels viennent ensuite, à leur tour, fortifier le militantisme : « On a ensuite appris à reconnaître ce sentiment : être dominés, exploités et, dans un processus de réflexion, d'expérience et de formation, on a compris ce que c'est vraiment que l'engagement pour la lutte des droits humains, pour l'humanisation.»

Le processus de politisation se réalise selon des parcours très divers et passe, comme on s'en doute, par la lecture et l'étude des grands textes de diverses traditions, des voyages, des rencontres (par exemple celle de Noam Chomsky et de Louis Kampf au MIT, pour Michael Albert et Stephen Shalom), par le choix d'étudier dans certains domaines plutôt que d'autres, par de l'activisme étudiant, par la création ou la participation à des revues (comme *Parti pris* au Québec) et ainsi de suite.

Mais il est frappant de remarquer à quel point l'engagement est ressenti comme un impératif moral et le sentiment de devoir faire quelque chose. Un tel sentiment est parfois provoqué par une expérience qui vient le cristalliser, comme ce fut le cas pour Michael Albert à l'église d'Arlington Street. André Dudemaine connaît lui aussi une manière d'expérience cristallisante («un moment qui a valeur de signe», écrit-il) devant un discours de René Lévesque prononcé durant les années 1960 en Abitibi :

Il s'indignait que le Québécois francophone se situasse au bas de l'échelle, *juste au-dessus des Italiens, des Indiens et des Esquimaux* (on ne disait pas encore Inuit). Les Italiens, d'immigration plus récente, expliquait-il, allaient bientôt combler leur retard et (ici, grande indignation dans la voix et foule qui frémit) dépasser les revenus des francophones. Pris par le propos et touché par la colère d'un groupe national qui se sent victime de discrimination, c'est plus tard que me revint que, dans le grand appel à la justice qui a suivi, on avait oublié *les Indiens et les Esquimaux* en cours de route. Et que cela avait semblé normal. À tous.

En d'autres cas, l'engagement résulte d'une démarche plus réflexive, comme chez Stephen Shalom : celui-ci adhère d'abord au libéralisme, mais découvre progressivement qu'il recèle d'insurmontables contradictions et ce sont elles qui le conduiront à abandonner le libéralisme.

Tous nos auteurs ont, *mutatis mutandis*, été politisés durant les années 1960 et bien des aspects de la culture et de l'actualité de cette époque ont contribué à leur politisation – les mouvements sociaux et l'actualité politique nationale et internationale, en particulier la guerre du Vietnam. Les lectures nommées témoignent elles aussi, inévitablement, de cet ancrage historique. Mais dans celles qui sont faites au moment où se forme la conscience politique, il arrive qu'on devine le militant ou le théoricien à venir. La liste que dresse Dimitri Roussopoulos a en ce sens valeur prémonitoire, tout comme les réflexions de Stephen Shalom, retraçant bien ce dialogue critique avec le léninisme qu'il entreprend très vite et qui marquera profondément son parcours de libertaire. De même pour Louis Gill, qui évoque pour sa part Marx, lecture donnée pour incontournable, puisqu'elle permet d'appréhender les fondements du marxisme – sans cette compréhension, poursuit-il, comment se dire marxiste ?

Pour expliquer leur politisation, les Québécois évoquent en outre l'ouverture du Québec au monde durant ces années, l'éveil du nationalisme (Bourgault chauffant les salles, *dixit* Dudemaine), le bouillonnement d'idées et d'activités auxquelles on assiste et bientôt participe. Pierre Beaudet écrit : « En 1966, on sentait le réveil des volcans. » Deux ans plus tard, pour ces Québécois, tout bascule avec Mai 68 (Dudemaine).

Notons encore que devenir militant, c'est aussi consentir à certains renoncements, parfois douloureux. C'est par exemple le cas de Louis Gill et de Michael Albert, dont les premières amours sont respectivement les mathématiques et la physique, amours dont l'engagement politique les éloigne définitivement.

Toutes ces expériences, ces rencontres, ces lectures débouchent sur l'acquisition d'une culture politique, sur de l'activité militante, sur la formulation plus nette d'un projet politique et s'inscrit au sein d'une mouvance militante où des valeurs s'incarnent. Venons-en à présent à cet aspect des choses.

Figures du militantisme : la montée des luttes, ou l'optimisme de la volonté (env. 1960-1980)

Des combats d'ailleurs vus d'ici

Si on se place du point de vue du Québec et du Canada, on constate d'abord, durant cette période, que les luttes menées, leur nature, leurs moyens et leurs visées, y ont été pour une part non négligeable influencées par celles qui étaient menées sur la scène internationale.

Cela est vrai, pour commencer, pour les combats en faveur des droits civiques des Noirs menés aux États-Unis et qui sont évoqués par Michael Albert, Louis Gill et Judy Rubick : ils vont, comme on sait, inspirer et influencer des luttes semblables menées par des Noirs anglophones tant au Canada qu'au Québec.

Cela est encore vrai des luttes contre la guerre au Vietnam menées aux États-Unis (et ailleurs) et qu'évoquent notamment Michael Albert, Pierre Beaudet, Louis Gill, Stephen Shalom – luttes qui invitent d'ailleurs à faire des parallèles avec les actuelles mobilisations contre la guerre en Irak et ce qui attend ce pays quand et si les États-Uniens s'en retirent. Pierre Beaudet pour sa part a bien rappelé comment la sortie des États-Unis du Vietnam, en avril 1975, a conduit à des dérives, notamment nationalistes, qui ont opposé le Vietnam, le Cambodge et la Chine, et la signification de ces événements pour certains militantes et militants :

> En même temps, la révolution paysanne en Asie, qui avait été notre phare, s'effilochait dans de sordides règlements de compte entre les nationalistes vietnamiens, cambodgiens et chinois. De mission en mission et de rapport d'enquête en rapport d'enquête, on a compris qu'on avait été instrumentalisés par de lointaines luttes de pouvoir. Instrumentalisés volontairement dans beaucoup de cas, puisque cela faisait notre affaire de croire aux contes de fée.

C'est au creuset des luttes pour les droits civiques et contre la guerre au Vietnam qu'a été créé le Students for a Democratic Society (SDS). La Nouvelle gauche, à laquelle se référait cette organisation, comprenait non seulement des libertaires, partisans de la démocratie participative, mais aussi différentes factions, notamment marxistes-léninistes et trotskistes. Les conflits qui les opposaient, soutient Shalom, ont conduit à l'éclatement du SDS en 1969.

Quoi qu'il en soit, la tendance libertaire de cette Nouvelle gauche a exercé une influence qui s'est fait ressentir jusqu'au Canada et au Québec, particulièrement, peut-être, dans le milieu anglophone, si l'on se fie à Judy Rebick et Dimitri Roussopoulos. Ce dernier écrit à ce propos : « Les luttes des années 1960 pour aider les sans-pouvoir à s'organiser, le travail d'organisation communautaire qui s'est par la suite étendu à d'autres champs (coopératives d'habitation, corporations de développement communautaire, entreprises autogérées...), tous ces efforts visaient à progresser vers la démocratie participative. » Elle y prendra de nouveaux visages quand elle fera la rencontre de diverses influences provenant de l'Amérique latine – en particulier la pédagogie des opprimés de Paolo Freire et la théologie de la libération (Cielo).

Les événements survenus en France en mai 1968 et au cours desquels étudiants et ouvriers, pour un temps engagés dans un combat commun, mariaient aspirations socialistes de libération collective et visées de libération individuelle ont, eux aussi, exercé une influence notable sur le militantisme québécois et canadien (Beaudet, Dudemaine, Cielo). Dans cette mouvance française se sont notamment inscrits, avec le même esprit, l'« automne chaud italien », le *cordobazo* argentin ainsi que les occupations des institutions d'enseignement par les étudiants québécois à l'automne 1968.

Beaucoup de luttes menées en Amérique latine trouvent des échos au Québec et au Canada mais, à travers la voix d'Eliana Cielo, c'est surtout l'élection de Salvador Allende à la présidence du Chili, à l'automne 1970, qui est mise en évidence dans les pages qui précèdent. Il est toutefois vraisemblable, croyons-nous, que c'est bien cet événement, plus que tout autre en Amérique latine durant ces années-là, qui aura eu le plus grand retentissement sur les militantes et militants du Québec, du Canada – et des États-Unis. Plus exactement, c'est le travail de formation et d'organisation concret et au milieu de peuple qui devenait un modèle pour bien des militants québécois. Cielo, qui peut raconter cette histoire à la première personne, déplore qu'on l'ait à ce point oubliée :

> Malheureusement, lorsqu'on fait référence à l'histoire du processus chilien, on ne parle jamais de l'éducation populaire alors que c'était, à mon sens, la composante la plus révolutionnaire, parce que ce mouvement était proche du peuple, travaillait avec tout le monde, sans sectarisme, et luttait profondément pour l'organisation et la conscientisation du peuple.

Qu'une démocratie fonctionnelle puisse exister en Amérique latine – et même y exister depuis longtemps – cela était bien mal vu du gouvernement des États-Unis. Il était donc intervenu massivement dans les élections chiliennes de 1958, puis de 1964 et encore de 1970. L'élection du socialiste Allende lors de celles-ci était intolérable. À la demande du président Nixon, la CIA a donc entrepris de créer dans le pays un « climat de coup d'État », de faire « hurler de douleur l'économie », d'y multiplier actes de terreur et de sabotage, et d'entraîner des forces antigouvernementales, par exemples des membres de l'organisation fasciste Patria y Libertad. Le coup d'État éclate en septembre 1973. Ce sera un terrible bain de sang durant lequel Allende perdra le pouvoir et la vie, et qui portera le général Pinochet au pouvoir. Son gouvernement sera le premier à mettre en pratique les théories économiques de l'École de Chicago et à ouvrir la voie vers le néolibéralisme. Ces événements auront eux aussi un lourd impact sur les militants d'ici. Certains s'interrogeront par exemple sur le rôle qu'ont pu jouer les dissensions internes dans la préparation de la victoire de Pinochet, tandis que d'autres concluront à la futilité de la voie électoraliste. Pierre Beaudet ajoute : « On était également interpellés par la fracassante défaite de la gauche chilienne. Trop ou pas assez, l'ébauche du pouvoir populaire avait échoué non seulement devant le mur de la répression, mais aussi devant ses contradictions et ses incohérences internes. »

Des luttes d'ici : 1960-1970

Dans le contexte du vaste et complexe mouvement de décolonisation qui se développe dans l'après deuxième grande guerre, des luttes d'affirmation nationale s'amorcent au Québec au début des années 1960. Ces luttes pour l'autonomie politique et économique sont souvent intimement liées à des revendications sociales, et ce sera le cas au Québec.

André Dudemaine et Louis Gill ont raconté leur rencontre avec le RIN, alors galvanisé par l'orateur Pierre Bourgault (1934-2003). Beaudet évoque le FLQ (Front de Libération du Québec), qui était en fait multiple. Si ces FLQ étaient au début étroitement nationalistes, ils deviennent, avec le temps, de plus en plus socialistes. C'est justement le cas du groupe Vallière-Gagnon, qui a entraîné la mort du jeune Jean Corbo, qui n'avait pas encore 17 ans lorsqu'il a explosé avec sa bombe dans une usine en grève. Notons encore la formation du MSA, qui deviendra le PQ lors de la dissolution du RIN.

Ces luttes ont exercé une influence culturelle certaine, en favorisant le développement d'une littérature, d'un théâtre et d'un cinéma québécois. Les indépendantistes québécois cependant, sauf exception, ne manifestaient guère d'empathie pour les autochtones – et c'était également le cas de la gauche indépendantiste, comme le rappelle l'anecdote racontée par André Dudemaine que nous avons rappelée plus haut. Dans le même temps se mène la lutte du mouvement laïque contre la tutelle exercée par l'Église sur la conscience des Québécoises et des Québécois. Une faction du clergé, partisane de Vatican II, participe à ce combat pour la liberté de pensée et d'expression. Un travail d'animation sociale, voulant conscientiser les démunis, se développe dans certaines paroisses du sud-ouest de Montréal. Ce travail sera l'étincelle qui conduira aux Comités de citoyens, qui se transformeront en Comités d'action politique, puis en FRAP, et constitueront le terrain d'un militantisme dont témoignent tout particulièrement Pierre Beaudet, Louis Gill et Françoise David. Se mènent aussi des luttes pour une presse indépendante du pouvoir médiatique : elles conduisent à la création de médias ouvriers et populaires en Abitibi, comme le raconte André Dudemaine, puis à celles de l'Agence de presse libre, de l'hebdomadaire *Québec-libre* et d'autres institutions encore.

La Révolution tranquille, portée par le Parti libéral du Québec, se développera autour de slogans nationalistes et obtiendra l'appui du mouvement syndical, d'intellectuels et de la faction progressiste du clergé. Elle conduira à une certaine modernisation de l'État, qu'elle dotera de leviers économiques (Hydro-Québec, SAQ, Caisse de dépôt et placement) – lesquels fonctionneront malheureusement à l'interne exactement comme des entreprises privées. Elle démocratisera en outre le système d'éducation, assurera un meilleur accès de la classe ouvrière aux soins de santé et aux services sociaux et contribuera à l'amélioration du niveau de vie de la classe ouvrière ; le Canada anglais, rappelle Judy Rebick, vit des transformations similaires au même moment.

Durant ces années, plusieurs organisations communautaires et populaires sont créées pour lutter, entre autres, contre la pauvreté et l'exclusion, qui persistent néanmoins et qui s'attaquent, en cherchant à les débusquer, aux pouvoirs et aux conditions structurelles qui perpétuent ou aggravent des situations d'inégalité et d'injustice.

Plusieurs petites organisations de gauche, indépendantistes et socialistes, naissent et disparaissent rapidement, pour un grand nombre de raisons sans doute, mais au nombre desquelles ·les témoignages ici réunis donnent à penser qu'elles sont beaucoup trop coupées des milieux populaires, de leurs revendications, de leur culture et de leurs problèmes propres. Notons, pour mémoire : le club Parti pris, évoqué par Louis Gill ; le Mouvement de libération populaire, formé par l'intégration aux membres du club de militants de la revue *Révolution québécoise*, de trotskistes et de militants de Saint-Henri) ; le Parti socialiste du Québec, lui aussi évoqué par Gill ; le groupe Mobilisation (Beaudet), etc. La revue *Parti pris* (Beaudet, Dudemaine, Gill), indépendantiste, socialiste et laïque, qui exerce une grande influence chez les jeunes, reflète bien le brassage des idées qui caractérise les années 1960 au Québec.

Des luttes d'ici : les années 1970

En 1970, la crise d'Octobre et la subséquente occupation armée du Québec vont avoir pour conséquence une forte répression des militants ainsi que le démantèlement de bien des organisations de gauche. Comme on l'apprend à la lecture des textes de Beaudet et de Louis Gill, le FRAP, qui est issu des Comités d'action politique, eux-mêmes issus des Comités des citoyens, est alors assimilé au FLQ et terrassé lors des élections. Des militants le délaissent alors, à l'instar de Louis Gill qui écrit :

> J'ai aussi délaissé le FRAP qui, se relevant difficilement du coup de massue qui lui a été porté lors des élections municipales de 1970 à Montréal, en pleine crise d'Octobre, à la suite des enlèvements par le Front de libération du Québec (FLQ) du diplomate britannique James Richard Cross et du ministre libéral Pierre Laporte, et de l'assassinat de ce dernier, a rapidement évolué vers un lieu d'affrontement stérile entre groupes politiques sans lien organique avec le mouvement ouvrier organisé.

Mais la crise d'Octobre, paradoxalement, a peut-être également eu l'avantage de mettre fin aux tentations aventuristes du FLQ. C'est du moins ce que soutient Beaudet :

La répression d'Octobre fut dans un sens une salutaire douche froide pour ceux qui avaient encore des illusions. Ce n'est pas tellement qu'on était devenus des ganhdiens et des apôtres de la non-violence. Tout simplement, le *robin-des-bois-isme* du FLQ s'était révélé ce qu'il était : naïf, contre-productif, voire dangereux.

Mais une nouvelle radicalisation se met en marche, d'abord au sein du mouvement syndical. Au printemps 1972 a lieu une importante grève du Front commun : elle conduit, le 2 février 1973, à l'emprisonnement des chefs des trois grandes centrales syndicales, lequel entraîne à son tour de nouvelles grèves des travailleurs du public et du privé et l'occupation de certaines villes, dont Sept-Îles.

Perçue par certains, nous rappelle Beaudet, comme une révolte contre les mandarins communistes, la Révolution culturelle qui s'amorce bientôt en Chine favorise le développement d'organisations marxistes-léninistes de tendance maoïste. D'autre part, l'influence exercée par des marxistes-léninistes issus du défunt SDS sur les étudiants de gauche et l'attrait qu'exerce sur les intellectuels québécois le tandem Althusser-Poulantzas favorisent également la création d'organisations marxistes-léninistes, de tendance maoïste (David) ou trotskiste (Rebick, Gill). Ces organisations ont formé nombre de militants. David écrit :

Cela dit, mon passage au groupe En lutte! me donne des outils d'analyse, me forme à la prise de parole en public, à l'élaboration de plans de travail et d'évaluation et est un lieu où je développe de belles amitiés. Je peux aussi y faire ce que j'aime : rassembler les gens, les inviter à se battre pour plus de justice et d'égalité, convaincre, éduquer, etc.

Mais ces organisations, on le verra, sont aussi largement perçues par certains de nos auteurs, qui en furent également des acteurs, comme dogmatiques, sectaires et autoritaires, ce qui explique en partie leurs échecs. Pour le moment, contentons-nous de citer Judy Rebick :

La pratique des gauches de mon temps visait à se différencier. Chacun de nous croyait juste la position de son groupe. Nous luttions contre les autres courants que nous jugions fondamentalement dans l'erreur, contre-révolutionnaires, réformistes, vendus, libéraux ou coupables de toute autre déviation que nous pouvions imaginer. [...] Dans cette voie, tout en clamant notre opposition à toutes les manifestations du capitalisme, nous en incorporions un élément central, encore plus ancien que le système économique capitaliste lui-même : le patriarcat ou l'autoritarisme.

Parallèlement aux groupes marxistes-léninistes, le Parti québécois se développe, obtenant un large soutien dans le mouvement syndical et un soutien ambivalent et critique d'une certaine gauche indépendantiste (Beaudet). Sa montée bouleverse le paysage du militantisme progressiste : certains sont tentés par l'aventure électoraliste proposée par le PQ et cèdent à la tentation, tandis que d'autres la récusent. Le PQ, on le sait, gagnera les élections en 1976 et, durant son premier mandat, adoptera certaines mesures progressistes : des lois pro-syndicales (formule Rand obligatoire, interdiction des briseurs de grève...), la loi 101 et d'autres encore.

Dès ce moment se développent au sein de ce bouillonnement social des tendances qui s'affirmeront dans les années 1980-1990 : le féminisme, puis l'environnementalisme, la lutte des autochtones pour la dignité de leurs peuples (et la lutte des Amérindiennes pour leurs droits au sein de leur communauté), la lutte des gais et des lesbiennes et la lutte contre les diverses manifestations du racisme.

Figures du militantisme : la revanche du pouvoir ou le pessimisme de la raison (depuis 1980 env.)

La scène internationale

L'entrée dans les années 1980 marque pour certaines militantes et certains militants un moment sinon de recul, voire de découragement, du moins de remise en question, parfois profonde. D'anciennes certitudes se fissurent, des convictions s'effritent, tandis que d'autres espoirs et d'autres valeurs naissent et se fortifient.

À partir entre autres de ce laboratoire chilien que lui a offert la CIA, l'École de Chicago a prospéré et les idées qu'elle défend deviennent de plus en plus influentes durant les décennie 1980 et 1990. En Grande-Bretagne, le gouvernement de Margaret Thatcher s'en inspire et s'attaque à ce qui était le fer de lance du mouvement syndical anglais : les syndicats de mineurs. Les mines de charbon décrétées non rentables sont fermées et le gouvernement reste intraitable malgré les diverses manifestations syndicales et populaires. Des régions entières sont réduites au chômage : brisé, le mouvement syndical anglais ne s'en est toujours pas complètement remis.

Aux États-Unis, Ronald Reagan, sitôt élu, brise le syndicat des contrôleurs aériens et met à pied tous ceux qui refusent de retourner au travail aux conditions de l'employeur. Les syndicats états-uniens, déjà faibles, se contentent de protester. Cet acte politique ouvre la porte au néolibéralisme qui s'étendra peu à peu au monde entier, les États-Unis y exerçant, de par leur puissance, une hégémonie économique. Cette politique, instaurée par Reagan, se consolidera avec Bush fils et pénétrera bientôt au Canada avec l'élection de Brian Mulroney.

Ces développements signalent un moment de morosité et de recul de la critique sociale et politique que nos auteurs ne se sont pas fait faute de rappeler. Si on en croit Albert, ce moment aura sa traduction idéologique dans le postmodernisme, doctrine omniprésente durant ces années dans les départements de littérature, de sciences humaines et plus largement dans toutes les humanités. Ces idées se donnent pour critiques, voire révolutionnaires, mais Albert les perçoit comme dangereuses, irrationalistes et contre-productives, et comme instituant une grave rupture avec ce qu'a porté une gauche issue des valeurs du siècle des Lumières. Albert écrit :

> Il me semblait que cette manière de penser (le postmodernisme) exerçait une influence grandissante, tout spécialement sur de jeunes étudiants et étudiantes ayant des valeurs et des aspirations de gauche. Cela me semblait quelque chose de dommageable, parce que je pensais que ces positions ne conduisaient pas vers des perspectives, des attitudes et des théories utiles, mais plutôt à la passivité, à la désorientation, ainsi qu'à un obscurantisme élitiste.

La chute du mur de Berlin est perçue comme la fin de régimes ayant usurpé l'appellation de socialisme pour imposer la dictature d'une nomenklatura – notamment pour Pierre Beaudet, Louis Gill, Stephen Shalom, Françoise David, Michael Albert. Ce dernier parle d'ailleurs de la classe des coordonnateurs pour désigner cette nomenklatura. Ces pays embrassent alors le néolibéralisme et rejettent, en même temps que la dictature, les mesures sociales qu'ils auraient pu sauvegarder (Shalom). La disparition de l'Union soviétique laisse l'empire états-unien comme *le* meneur du jeu sur le plan international, et les partis sociaux-démocrates du reste du monde, après quelques tentatives de résistance, notamment en France et en Espagne, se plient aux politiques néolibérales en cherchant à en atténuer les méfaits (Gill, Shalom). Louis Gill écrit, résumant un sentiment assez général devant ces développements :

> Après avoir promu et géré pendant trois décennies des politiques qui ont permis, grâce aux conditions exceptionnelles qui s'observaient alors, des améliorations soutenues des conditions de vie et de travail, les partis ouvriers se sont mis à gérer les politiques néolibérales qui avaient provoqué des reculs sur tous les plans.

Cette double défaite du mouvement ouvrier va en amener plusieurs, qui avaient continué à placer leurs espoirs en lui, à remettre en question l'hégémonie théorique du marxisme et sa solution au capitalisme, et à entrer, tout en reconnaissant la valeur de sa critique économiste du capitalisme, dans l'ère de ce que Pierre Beaudet appelle, avec d'autres, le postmarxisme. Pour d'autres, comme Stephen Shalom et Michael Albert, ce travail théorique avait été entrepris des années auparavant et les avait conduits, à travers une critique de la primauté accordée par le marxisme à l'économie, à une perspective théorique et militante plus large et englobante – Shalom et Albert appellent leur modèle le « holisme complémentaire ». Ce dernier écrit :

> Il fallait sans doute s'intéresser à l'économie, mais également, et de manière tout aussi prioritaire, aux questions raciales, à celles reliées aux genres sexuels, aux pouvoirs, ainsi qu'aux questions environnementales et aux relations internationales. On ne saurait, bien entendu, soutenir que le marxisme ignorait tout cela. Cependant, dans la plupart des cas, et tout particulièrement dans le cadre de conflits et de luttes difficiles, les marxistes et le marxisme tendent à concevoir toutes ces autres dimensions de la vie comme des résultantes de l'économie et en particulier des classes sociales.

Mais cela pose aussitôt la question de savoir, au-delà des vaporeuses généralités, quelles valeurs doivent être affirmées et explicitement défendues, comment et dans le cadre de quels projets. Si l'urgence de ces questions est reconnue et si elles sont parfois soulevées, la gauche fait aussi face, durant la dernière décennie du siècle, à de nombreuses victoires du pouvoir qui consolident les positions néolibérales.

Les luttes au Québec et au Canada

Au Québec, le mouvement de libération nationale se maintient, malgré les défaites. Celle du premier référendum, en 1980, réoriente le PQ vers la droite et entraîne le durcissement du gouvernement fédéral face au Québec (Beaudet, Gill) et le rapatriement de la Constitution sans l'accord du Québec. Beaudet écrit : « La défaite prévue et prévisible du référendum de 1980

annonçait la recomposition à droite du mouvement nationaliste à travers des déchirements internes ainsi qu'entre celui-ci
et les organisations sociales. ». Dès 1982-1983, le gouvernement
péquiste décrète les salaires et les conditions de travail de l'ensemble des salariés de la fonction publique et parapublique, leur
imposant des diminutions de salaire allant jusqu'à 20 %. Il commence aussi à voter des lois limitant grandement les moyens
de pression des syndicats des secteurs publics et parapublics,
et sera bientôt imité en cela par les gouvernements libéraux.
C'est le moment d'une rupture plus ou moins profonde, selon le
cas, entre mouvement national et mouvement syndical – même
si l'*establishment* syndical continue à collaborer plus ou moins
ouvertement avec le PQ.

Le rejet de l'accord du Lac Meech de 1987 conduit au
référendum de 1995, lequel entraîne le gouvernement péquiste
encore plus vers la droite (lorsque Lucien Bouchard remplace
Jacques Parizeau) et provoque le durcissement du pouvoir fédéral, ce dont témoigne la Loi sur la clarté de 2000 du tandem
Chrétien-Dion.

Contrairement à bien d'autres pays, le mouvement syndical a toutefois maintenu une certaine vigueur au Canada et
au Québec, même s'il a perdu de sa combativité. Il a notamment réussi à créer des alliances avec divers mouvements sociaux.
Rebick écrit :

> Le mouvement ouvrier au Canada anglais est aujourd'hui dans
> l'impasse face au néolibéralisme, mais, contrairement au mouve-
> ment ouvrier états-unien, il a été capable de se transformer pour
> répondre aux défis que lui posaient les nouveaux mouvements
> sociaux des années 1960. Le mouvement ouvrier au Canada anglais
> et au Québec est celui qui, dans le monde, a probablement le mieux
> répondu aux demandes des féministes.

Au Canada anglais, une vaste coalition (il s'agit du réseau
Pro-Canada, nommé ensuite Action Canada Network) regrou-
pant les organisations syndicales et la plupart des organisations
progressistes, a mené une chaude lutte contre l'Accord de libre-
échange avec les États-Unis (ALE), puis, de façon moins soutenue, contre l'ALENA. Une semblable coalition s'est formée au

Québec, mais avec beaucoup moins de dynamisme. Cela s'explique : au Canada, le PLC et le NPD s'opposaient à l'ALE, tandis qu'au Québec, le PLQ et le PQ – à l'instigation de Bernard Landry, appuyé par Jacques Parizeau – le favorisaient.

Au Québec, durant la première année du gouvernement Charest, une large coalition syndicale et communautaire s'est opposée aux velléités de Charest d'imiter Harris.

Le mouvement des femmes, qui avait obtenu d'importantes victoires (droit à l'avortement, au divorce, loi sur l'équité salariale, etc.) a réussi à organiser au Québec la marche des femmes « Du pain et des roses » (1995) et la Marche mondiale des femmes en 2000 (David). Durant ces années, il a dû s'ouvrir aux problèmes particuliers des femmes issues des minorités (Rebick, David). Françoise David rappelle comment, lors du forum « Québec féminin pluriel » en 1992, puis lors de la marche « Du pain et des roses », des femmes issues des minorités ont reproché au mouvement des femmes d'ignorer leurs besoins, leurs revendications et leurs analyses.

Rebick remarque pour sa part que les victoires légales obtenues par le mouvement des femmes et la transformation des organisations féministes en sous-traitants de l'État ont pu affaiblir le mouvement :

> Au début, le mouvement des femmes consacrait son énergie à l'organisation sur le terrain. Au fur et à mesure que le mouvement s'est amplifié et qu'il a obtenu des changements aux lois, il s'est de plus en plus orienté vers les transformations légales. [...] L'important secteur du mouvement des femmes qui offrait des services recevait de plus en plus de pression : dans la plupart des cas, il a du se retirer des batailles juridiques et se professionnaliser pour continuer à recevoir du financement. Plusieurs organisations de femmes sont devenues moins radicales, ressemblant de plus en plus aux autres services qui mettent des pansements sur les problèmes sociaux au lieu de s'attaquer à leurs causes. De fait, la cooptation du mouvement des femmes au Canada est un exemple historique parfait de la façon dont le pouvoir hégémonique manœuvre pour coopter un mouvement contre-hégémonique.

On peut avancer l'hypothèse que ce qu'affirme ici Rebick du mouvement des femmes canadiennes pourrait dans une large mesure s'appliquer à la plupart des mouvements communautaires et populaires du Québec, devenus des sous-traitants de l'État.

D'autres mouvements et tendances émergeant de la mouvance militante durant ces années ont aussi été discutés. D'abord, le mouvement environnementaliste, qui fait de plus en plus d'adeptes (Rebick, David), sans toutefois encore obtenir de gains significatifs : ses préoccupations sont une référence pour la plupart, sinon tous nos auteurs. Le mouvement des gais et lesbiennes, évoqué par Rebick, a obtenu quelques victoires importantes, mais il n'est guère discuté par nos auteurs, peut-être parce qu'il a perdu de la visibilité. Les mouvements militant en faveur des autochtones ont pris une certaine ampleur : ils sont évoqués par Françoise David (Oka) et André Dudemaine.

Une des (hélas trop rares) expériences intéressantes sur le plan de l'économie est ce mouvement d'économie sociale qui, malgré des lacunes, s'est développé, critiquant ces nationalisations où les entreprises publiques, à l'instar des entreprises privées, fonctionnent sans une participation des travailleurs et des usagers aux orientations de l'entreprise, et qu'évoque notamment Rebick :

> Le mouvement d'économie sociale, en favorisant l'organisation des travailleurs dans les petites entreprises, démontre de la créativité au niveau local. [...] Les modèles d'économie alternative n'ont pas les solutions à tous les problèmes [...] Nous devons expérimenter une approche complexe et plurielle du développement économique.

Le nouveau siècle s'ouvre sur le Sommet des peuples à Québec en 2001 et marque l'arrivée d'une nouvelle génération sur la scène des luttes et la naissance d'un mouvement altermondialiste québécois. Beaudet écrit :

> Au début, ce Sommet des peuples était bien programmé, notamment par les centrales syndicales, comme un rituel encadré [...] Et puis sans que l'on sans aperçoive, cela a glissé. Sans préavis. On s'est retrouvé des milliers, on a brisé (symboliquement) des barricades [...] On a changé le ton, on a changé les repères. On s'est changé nous-mêmes.

Ce sommet des peuples sera suivi, on s'en souvient, de manifestations monstres contre la guerre en Irak et par la grève étudiante contre les frais de scolarité.

Québec solidaire, un nouveau parti, veut représenter sur la scène publique ces diverses manifestations contestataires (David, Gill), sans toutefois réussir à représenter tous les écologistes, un certain nombre d'entre eux, sous la bannière du Parti vert, isolant la question environnementale des questions de justice sociale. Depuis 2001, des mouvements de masse, qui n'étaient jamais disparus de la scène politique au Québec, se sont ainsi développés, malgré ce que d'aucuns perçoivent comme de l'immobilisme. Louis Gill analyse en ces termes la situation :

> L'impasse dans laquelle nous sommes, si dramatique soit-elle, ne saurait non plus être comparée à celle des années 1930, alors que les organisations du mouvement ouvrier ont été éradiquées par le nazisme et le fascisme en Europe et par le stalinisme en URSS et que leurs militants et dirigeants étaient emprisonnés et liquidés physiquement. L'impasse actuelle des organisations du mouvement ouvrier n'est pas synonyme de paralysie du mouvement de masse. Celui-ci s'exprime au contraire à l'intérieur de ces organisations par la contestation de leurs politiques, mais aussi de plus en plus de manière autonome face à elles, par l'action collective au sein d'une multitude de mouvements sociaux axés sur diverses formes de luttes contre la domination et l'exploitation, et pour l'élargissement des droits fondamentaux : mouvements pacifistes et altermondialistes, mouvements de défense de l'environnement, des droits des femmes, des assistés sociaux, des minorités ethniques, des handicapés, des homosexuels, de lutte contre le chômage, contre la pauvreté, pour l'accès au logement, etc.

Bilan et prospectives

Nous avions convié nos auteurs à un essai de prospective visant moins à prédire l'avenir de la gauche qu'à dessiner celui qui leur semble souhaitable et qu'elle cherche à faire advenir. On pourra commodément présenter leurs analyses et propositions en les ventilant en deux moments.

Le premier, négatif, consiste en un bilan des erreurs, des faiblesses et des égarements de la gauche ; le deuxième, positif cette fois, dessine les contours d'un possible programme d'action, fixe les objectifs qu'il conviendrait de viser et détermine les valeurs qui devraient animer les actions entreprises pour les atteindre. Nous examinerons tout cela ci-dessous.

Bilan

On accuse parfois la gauche de complaisance et d'aveuglement, et il y a certes des raisons qui justifient ces accusations. Pourtant, nous semble-t-il, on ne peut, à la lecture des pages précédentes, manquer d'être frappé par la tonalité critique (intellectuelle, morale et stratégique) parfois très vive qui s'en dégage.

Amorçons notre parcours avec Michael Albert. Il propose, on s'en souviendra, une forte critique intellectuelle de la gauche des années 1990, en particulier des tenants du postmodernisme avec lesquels il a beaucoup ferraillé. Cette critique est particulièrement riche et instructive.

C'est que par-delà la querelle d'idées – portant sur les éventuels mérites du relativisme cognitif, de l'anti-fondationnalisme et ainsi de suite – c'est bien une querelle politique aux profondes ramifications qui s'est jouée dans ces affrontements. Il s'agissait pour Albert de montrer comment, sous cette aura prétenduement révolutionnaire et progressiste, la perspective postmoderniste – le « pomo », pour parler comme lui – aboutissait, finalement, à une forme d'élitisme profondément contre-productif, voire nihiliste, dans la mesure où il signait le renoncement à des outils (la rationalité, les faits et ainsi de suite) qui sont parmi les rares que nous ayons à notre disposition. Une intéressante remarque de Michael Albert concerne les causes présumées de la montée, parmi les intellectuels, d'une mode comme celle-là.

Rappelons ce qu'il écrit à ce sujet :

[…] Si je n'arrivais pas à comprendre le postmodernisme, c'est parce qu'il n'y avait rien à comprendre. Je songeai alors : supposons que vous êtes un professeur de littérature anglaise et que vous souhaitez un salaire élevé, un statut intellectuel et la permanence. Comment le fait de discuter de *Crime et châtiment* ou de *Ode sur une urne grecque* – sans rien dire des paroles de chanson de Madonna – pourrait-il justifier un tel salaire, un tel statut et des conférences payées à l'étranger ? Je conclus que pour justifier de tels avantages pour un travail aussi ordinaire, un argument possible serait de soutenir qu'il est nécessaire, pour accomplir ce travail, de maîtriser une théorie, que sa maîtrise demande des années et que certaines personnes savent l'employer mieux que d'autres. De ce point de vue, « le discours » incompréhensible des théoriciens de la littérature contribuait à légitimer leur statut. En conséquence, des professeurs raisonnables pouvant accomplir de bonnes choses devaient malgré tout suivre la ligne du parti, parler comme il convenait et écrire ce qu'il fallait pour préserver cette image.

On ne manquera pas de rapprocher cette critique du postmodernisme de celle du marxisme-léninisme par le même auteur, qui suggère, comme on sait, qu'elle est l'idéologie de la classe des « coordonnateurs ».

Albert déplore encore le manque de vision de la gauche et a entrepris de combler cette attristante carence en proposant, nous y reviendrons, un modèle économique nouveau. Mais il a également su nommer divers défauts des mouvements militants et bien des gens, sans doute, vont reconnaître une part de ce qu'ils ont vécu au sein de ces mouvements dans la description qu'il en donne :

[...] nous avons souvent créé des mouvements qui étaient à ce point soucieux de ne pas faire de compromis qu'ils ont fini par se trouver à l'écart des préoccupations de la vie quotidienne, des idées et des aspirations des gens ordinaires. Nous avons également tendu à mêler si intimement nos identités personnelles et nos convictions et actions politiques que nous avons considéré que toute critique de nos idées était une critique de notre être même. Ce faisant, nous nous placions sur la défensive, contre-attaquions et nous enfermions dans des querelles sectaires bien peu attirantes aux yeux d'éventuels participants à nos mouvements.

Citons pour finir le passage suivant, qui résume moins sévèrement le propos général de Michael Albert :

Je pense que nos mouvements, à différents moments et dans différents contextes, se sont avérés très efficaces pour engendrer à la fois des prises de conscience et de l'action en faveur du changement.

Mais je pense également qu'ils ont été très faibles dans leur capacité à maintenir cet élan, à l'approfondir et à l'enrichir, non seulement sur le plan des idées mais aussi sur celui de leurs incidences sur les institutions.

La charge de Shalom contre le rapport acritique que la gauche (ou du moins et plus exactement une certaine partie de la gauche) a pu entretenir à l'endroit de régimes étrangers se proclamant de gauche, mais qui sont, *de facto,* des régimes peu démocratiques ou même antidémocratiques – quand ils ne sont pas dictatoriaux – est aussi sévère qu'indispensable. Elle se déploie nous semble-t-il sur des plans intellectuel, moral et stratégique, et touche profondément juste sur chacun d'eux.

Sur le plan intellectuel, d'abord, elle nous rappelle qu'il faut condamner sans appel ce mensonge qui consiste à donner pour de la simple et pure propagande ce qui ne l'est manifestement pas entièrement, et qu'on ne peut consentir à de piteux raisonnements comme celui qui fait de tout État ennemi des États-Unis un État ami de la gauche.

Sur le plan moral, ensuite, cette critique nous rappelle à l'élémentaire exigence de ne jamais se résoudre à défendre l'indéfendable, des valeurs et des comportements que l'on prétend honnir ou encore de sordides personnages.

Sur le plan stratégique, enfin, cette critique nous rappelle qu'une telle attitude, acritique, est profondément nuisible à la gauche elle-même et aux causes qu'elle prétend faire avancer. Stephen Shalom écrit :

> Lorsque la gauche glorifie des régimes dictatoriaux, elle se nuit à elle-même de bien des manières. Tout d'abord, il devient beaucoup plus difficile d'attirer de nouveaux membres. Il se peut que les pauvres du tiers-monde, considérant leurs conditions de vie lamentables, concluent qu'ils n'ont rien à perdre en se joignant à la gauche. Mais, pour les Occidentaux, il y a beaucoup plus à perdre et si nous leur offrons un modèle de dictature répressive, ce n'est pas surprenant que plusieurs choisissent de rejeter nos perspectives. De plus, un mouvement qui minimise continuellement l'importance de la démocratie dans le tiers-monde ne mettra vraisemblablement

pas l'accent sur celle-ci dans ses propres luttes. Enfin, la désillusion par rapport aux mauvais régimes conduit bien des militants à quitter le mouvement.

Le parcours d'Eliana Cielo est singulier et se démarque de celui des autres auteurs. C'est en effet, comme on sait, au sein d'une tradition chrétienne militante qu'elle œuvre, et certaines de ses déceptions, de ses ruptures et de ses remises en question et réorientations proviennent donc du rapport tendu, et vite conflictuel, que cette mouvance entretient avec l'Église officielle. On se souviendra du ton enflammé avec lequel elle décrit cette lutte :

> Nous, militants chrétiens, avons commencé à prendre position contre l'Église officielle, voyant que les évêques appuyaient immanquablement les patrons, malgré leurs abus épouvantables, et préféraient parler contre les bikinis plutôt que de dénoncer les riches qui désobéissaient aux lois et ne payaient pas leurs parts aux femmes enceintes, ne versaient pas les acomptes provisionnels des travailleurs, etc. Et c'est encore comme ça aujourd'hui. Cela a marqué la fin, pour nous, de l'Église comme espace de lutte. Voulant créer un autre espace où mettre de l'avant les valeurs révolutionnaires du christianisme, nous avons, avec des jeunes et d'autres militants du mouvement, créé une organisation nationale populaire, la Corporation nationale de l'institut d'éducation populaire.

Avec la fin de l'URSS, on s'en souvient, une idéologie proclamant une hégélienne fin de l'Histoire s'est répandue comme une traînée de poudre pour affirmer la victoire décisive et finale de la démocratie libérale représentative sur le plan politique et celle de l'économie de marché sur le plan économique. La contribution de cette idéologie à la mise en place d'un « turbocapitalisme » signant le triomphe de l'impérialisme est indéniable et, à ce propos, Beaudet déplore avec raison la profonde intériorisation de ce discours dominant par des ex-militants qu'on aurait pu espérer plus enclins à rester critiques. Notons encore qu'il met, au moins en partie, ces compromissions sur le compte de l'absence d'arguments à opposer à ceux et celles qui proclamaient l'inévitable nécessité du capitalisme :

Avec des moyens redoutables, ce discours s'est infiltré au sein de notre mouvement par des blessures entrouvertes. La peur de l'ostracisme, de retomber dans le sectarisme, l'excès, était devenue dans plusieurs mouvements une obsession, pour ne pas dire une pathologie. On voyait des militants pourtant intelligents intérioriser le déficit zéro (lire les compressions dans les dépenses sociales), la « concertation » avec les puissants, accepter le nationalisme sirupeux et autoritaire d'un Lucien Bouchard. Plusieurs appels étaient lancés : « Soyez réalistes » ; « Il n'y pas d'"après-capitalisme", du moins dans un horizon imaginable » ; « Trouvez le moyen de vous accommoder en vous repliant sur le communautaire ou le social ». On n'était pas très convaincus, mais on n'avait pas beaucoup d'arguments.

Malgré des gains réels et substantiels, comme « la démocratisation de l'éducation, l'amélioration du niveau de vie de la classe ouvrière, son accès aux soins de santé et aux services sociaux », Judy Rubick considère pour sa part que l'hégémonie néolibérale et conservatrice désormais quasi planétaire nous contraint à dresser un bilan globalement négatif des réalisations de la gauche sur le plan politique. À quoi l'attribuer ? Selon elle, et par-delà les indéniables dérives bureaucratiques et autoritaristes des régimes socialistes, ce mauvais bilan tient surtout à ce qu'elle appelle « l'erreur fondamentale de la gauche politique », qui est de croire qu'elle parviendra à « démanteler la maison du maître » avec ses outils à lui. « Nous n'avons que rarement pratiqué ce que nous prêchions », affirme Rebick.

Selon Louis Gill, on ne peut espérer sortir de la crise que nous traversons par les voies traditionnelles qu'ont été, pour le mouvement ouvrier, les partis de la social-démocratie ou les partis communistes. Cette crise appelle donc un recommencement politique. Il écrit :

> Les deux grandes tendances du mouvement ouvrier du XXe siècle n'assument plus cette fonction. Les partis qui leur sont rattachés ou qui s'en réclament sont devenus de simples partis de gouvernement axés sur la promotion de l'ordre capitaliste. Pour reprendre les termes employés par Serge Denis, le moment actuel n'est pas un simple épisode d'instabilité, de mécontentement au sein des partis

du mouvement ouvrier, de faiblesse programmatique. Il ne saurait être vu comme une simple crise d'orientation ou de direction. Il faut le saisir comme un moment de tarissement et d'extinction de leur caractère ouvrier, de disjonction d'avec leur fonction d'origine, en somme comme un moment de déliquescence de ces partis en tant que partis ouvriers.

L'impérieuse nécessité de conserver au sein des mouvements les personnes qui viennent y militer a été rappelée par à peu près tous nos auteurs ; mais on n'a pas souvent indiqué ni des moyens de ce faire, ni les obstacles à cette rétention.

L'analyse d'André Dudemaine suggère que les insuffisances de la gauche tiennent à une manière d'enfermement dans ce qui n'est pourtant, à y regarder de plus près, qu'un faux dilemme. En effet, la gauche s'avérant incapable de « proposer une solution de rechange sérieuse au capitalisme » ou d'offrir « à ceux et à celles qui voulaient s'engager socialement une expérience de vie qui correspondrait à leurs idéaux », les militantes et militants n'eurent, semble-t-il, le choix qu'entre une action circonscrite dans des causes présumées mineures ou le retour à la théorie et au « bolchévisme de grand-papa ».

Si d'aucuns, comme lui, cherchent, sinon une troisième voie, du moins un équilibre entre les deux termes, André Dudemaine ne manque pas de fustiger l'incapacité de la gauche, qui confine à l'indécence, à s'engager dans certains combats. Son propos doit être entièrement cité :

> Il y a deux tiers-mondes au Québec comme au Canada : les Premières Nations et les ménages monoparentaux. Je n'entrerai pas ici dans les statistiques en avalanche qui décrivent l'état général de marginalisation et de pauvreté de ces deux groupes de laissés-pour-compte. Je noterai cependant que dans les deux cas, la difficulté des intellectuels de gauche à prendre à bras le corps la situation de ceux et celles qui sont aujourd'hui les plus démunis, avec un discours capable de rendre intelligibles les mécanismes particuliers d'exclusion sociale dont ils sont victimes et l'élaboration d'une plateforme de lutte pour faire avancer leur cause, peut en effet faire impasse aux idéaux qui demeurent dans le ciel des idées et qui ne trouvent pas leurs pieds pour avancer au ras du sol.

Dimitri Roussopoulos apporte pour sa part un éclairage différent et original en déplorant que la gauche et le militantisme n'aient que trop tardivement reconnu, du moins au Canada et aux États-Unis, la « nouvelle réalité urbaine ». Celle-ci est en effet à ses yeux un phénomène majeur, indéniable et de grande portée relativement aux changements sociaux et politiques. Nous verrons plus loin en quoi ce « municipalisme libertaire » (théorisé par Murray Bookchin) indique, selon Roussopoulos, une direction prometteuse à l'action. Pour le moment, rappelons les données qu'il invoque pour justifier l'importance qu'il accorde dans sa réflexion à cette révolution urbaine :

En 1800, 2 % de la population mondiale vivait dans les villes, alors que cette proportion était de 30 % en 1950 et de plus de 50 % en 2007 ; on prévoit un taux de 65 % pour 2050. Le XXIe siècle sera, de façon prépondérante, urbain. Chaque jour, la population mondiale croît de 180 000 personnes et, chaque semaine, de 1,25 million de personnes. La croissance urbaine la plus forte se produit dans l'hémisphère Sud : la population y double tous les 30 ans. Un milliard de pauvres vivent dans des bidonvilles et ils seront deux milliards en 2020. Un milliard de citadins n'ont pas accès à de l'eau potable et ne jouissent d'aucun système sanitaire. Près de la moitié des citadins du Sud travaillent dans le secteur informel de l'économie. Un citadin africain consomme 50 litres d'eau par jour, tandis qu'en Occident, un autre en consomme 215 litres. Les citadins du Nord produisent six fois plus de déchets que ceux du Sud. Ces statistiques montrent l'enchevêtrement des facteurs économiques, sociaux et environnementaux, et leur impact différencié dans le monde.

Le parcours de Françoise David la conduit à un désenchantement qui l'amène à rejeter le modèle auquel elle a d'abord adhéré (la dictature du prolétariat, le parti unique) et à proclamer avec force, *a contrario*, la valeur de la démocratie, et notamment de cette démocratie participative que les jeunes militantes et militants lui ont fait découvrir. Mais les prémices de ce désenchantement sont à l'évidence antérieures et se trouvent dans la question des femmes telle qu'elle a pu être posée dans certains groupuscules.

David souligne une importante carence de cette gauche quand elle rappelle la place qui y était faite au féminisme : tenue en quelque sorte pour « secondaire » par rapport à la contradiction première et fondamentale – celle de l'exploitation économique –, la question des femmes devient, sur les plans théoriques et stratégiques, subordonnée à la lutte des classes. David écrit :

On véhiculait alors cette idée un peu folle que le socialisme allait donner automatiquement l'égalité aux femmes. La question de l'orientation sexuelle était taboue et le droit à l'avortement était vu comme une lutte bourgeoise. En somme, les femmes n'étaient intéressantes que s'il s'agissait de femmes ouvrières ou provenant de milieux populaires. C'est cette vision réductrice et mutilante qui est contestée à la fin d'En lutte ! par mes copines féministes qui, elles, ont lu autre chose que Marx et Lénine et qui font remarquer qu'il existe une autre contradiction majeure – entre les hommes et les femmes – dans toutes les sociétés, y compris socialistes.

Elle déplore, dans le même souffle, une certaine attitude autoritariste, paternaliste, condescendante et sectaire qui a pu être celle de certaines militantes et de certains militants : « [Il] faut que les militantes et militants cessent de prétendre détenir la vérité. Nous pouvons donner de l'information, suggérer nos valeurs, affirmer nos convictions. Puis nous devons laisser les gens choisir et se faire une idée. »

Essais de prospective

L'avenir est à ceux qui ne sont pas désabusés.
Georges Sorel
For hope is but the dream of those that wake.
Matthew Prior

De son poste d'observation, d'où il peut appréhender globalement les phénomènes planétaires, Pierre Beaudet, qui a modestement mis en exergue la mise en garde en forme de boutade de Groucho Marx (*On peut tout prévoir sauf l'avenir !*), se hasarde à attribuer à l'Amérique latine une place prépondérante dans l'élaboration et la mise en œuvre de voies nouvelles et prometteuses pour l'action militante. L'Amérique latine, celle des zapatistes, celle du droit de rêver, avec ses « zones des tempêtes », voilà le lieu où « de nouveaux outils politiques créés au tournant des années 1990 ont au moins ouvert l'espace, en tentant de dépasser l'éternel dilemme "réforme-révolution" et [remis] en question la subalternité des organisations populaires. Le travail est en cours, avec des avancées et des reculs ».

Pierre Beaudet propose en outre de distinguer deux temporalités dans lesquelles l'action doit désormais se penser et s'inscrire. La première est la temporalité courte, celle de l'immédiat, celle des combats ponctuels, des « grains de sable dans l'engrenage », de la libération « de nouvelles identités rebelles, créatives, plurielles », des nouveaux espaces découverts hors des sentiers battus. L'autre est celle du temps long, mais de la longue durée envisagée à l'abri de tout dogmatisme. Dès lors, écrit-il :

[on] comprend – on l'avait compris avant, mais pas assez – que le pouvoir n'est pas un objet « à capter », un lieu « à envahir ». On comprend qu'il est inutile de chercher un nouveau « sujet historique » aussi futile qu'introuvable dans une révolte sans cesse changeante. On sait qu'il n'y a pas de démiurge de l'histoire. Ni de plan préétabli. Qu'est-ce qu'il y a, alors ? Des *piqueteros* argentins qui prennent leurs usines, des sans-terre brésiliens qui inventent des coopératives, des masses urbaines de Mumbai qui s'auto-émancipent. Et plus près encore, chez nous, des étudiants et des étudiantes qui sabotent la marchandisation de l'éducation. C'est un éternel recommencement. Mais en même temps, c'est terminé. On a fini de courir après le projet-miracle, le parti-miracle, l'État-miracle. On encercle le politique par le social, on l'imbibe de nos révoltes et de nos rêves.

Une remarquable constante dans les pages précédentes concerne le mouvement féministe, dont l'action et les résultats sont donnés comme exemplaires et prometteurs. Se pose alors la question de l'alliance entre le féminisme et les nombreuses autres tendances militantes dans la constitution du mouvement englobant désiré par tous. Albert, dans certains de ses textes, a appelé ce problème celui du « parapluie ». Ce parapluie devrait être large et englobant, incorporer des idéaux antiautoritaristes, antisexistes, antiracistes et réunir des ouvriers, des altermondialistes, des syndicalistes, des féministes et des membres des mouvements sociaux et communautaires. Vaste tâche dont on mesure mieux l'ampleur quand on prend conscience des obstacles qui se dressent. Rebick, par exemple, sensible comme tant d'autres à l'autoritarisme, montre bien, à partir de l'exemple du syndicalisme, comment il s'insinue dans nos pratiques et peut y faire obstacle :

> Les structures patriarcales et autoritaires ont permis d'obtenir Les structuresdes réformes au sein du système capitaliste, et c'est une des raisons pour lesquelles il est si difficile de s'en défaire. Ainsi, dans le mouvement ouvrier, la négociation collective exige, de par sa nature même, un système hiérarchique de prise de décisions par lequel le pouvoir est concentré au sommet.

Elle ajoute :

> Dans la mesure où le néolibéralisme semble n'accorder aucun gain au mouvement ouvrier et rend ainsi obsolètes les vieilles façons de faire, nous n'avons sans doute pas grand-chose à perdre en essayant de nouvelles façons de pratiquer le syndicalisme.

Que pourraient être ces nouvelles manières ? Pour tous, la démocratie participative est réaffirmée comme valeur cardinale, comme « condition fondamentale de tout changement réel aujourd'hui » (Rebick). Mais encore ?

Michael Albert (tout comme Stephen Shalom) soutient pour sa part, avec force, que le manque de vision de la gauche est une carence grave qu'il faut combler pour espérer aller de l'avant. Pour comprendre ce point de vue, on pourrait envisager comme une manière de paradoxe le fait qu'ayant démontré, au-delà de tout doute raisonnable, la faillite du capitalisme, les partisans du socialisme ne parviennent toutefois pas à rallier suffisamment de gens à leur cause. Une solution à ce paradoxe serait bien entendu la fausseté de cette démonstration, mais nous poserons que c'est peu probable. On pourrait alors imaginer que le paradoxe tient à ce que cette information n'est que très peu connue des gens que nous voulons rallier à notre cause et qu'il faut entreprendre un vaste programme pédagogique destiné à faire connaître nos conclusions. Sitôt formulée, cette suggestion donne à rire. La plupart des gens n'ignorent rien de l'état du monde et nous ne leur apprendrions rien en soulignant les immenses défauts des institutions dans lesquelles nous vivons. L'hypothèse privilégiée par Shalom et Albert pour résoudre cet apparent paradoxe est de poser que nous n'avons pas de programme positif exposé sous la forme d'une solution intellectuellement et moralement crédible et désirable. Shalom a exprimé cette idée de manière tout particulièrement saisissante et nous voulons la rappeler ici :

> De très nombreux États-Uniens – qui sont, après tout, essentiels à toute transformation sociale en profondeur – ont alors dit : « C'est exact. La situation est abominable. Mais existe-t-il un système qui serait meilleur ? » C'est là une préoccupation légitime. Les conditions sont abominables aux États-Unis, mais elles ne constituent certainement pas le pire des mondes possibles. Il n'est pas vrai que *n'importe quoi* pourrait être mieux, et il est assez évident, aux yeux de la plupart des États-Uniens, que plusieurs choses qui se sont déroulées sous le nom de socialisme ont été pires encore. Et la conviction de la gauche selon laquelle le socialisme *ne signifie pas* une bureaucratie omniprésente, du travail forcé, une police secrète ne suffira pas à elle seule à convaincre le peuple états-unien. Il faudra y ajouter une explication claire de ce que le socialisme *veut dire*. De même, si le modèle de société mis de l'avant par la gauche semble aux gens entièrement irréaliste, ils continueront de préférer le *statu quo*. Bref : seule une vision du socialisme véritablement inspirante et crédible peut donner du sens à la critique socialiste du capitalisme.

D'où les efforts de Shalom et de Michael Albert pour formuler ce qu'ils appellent des visions, c'est-à-dire des modèles, le premier d'institutions politiques et le second d'institutions économiques qui incarneraient et nourriraient certaines valeurs explicitement énoncées. Les nombreux arguments, à la fois théoriques et stratégiques, qu'ils invoquent en faveur de la création de telles visions méritent certainement d'être médités par quiconque souhaite un militantisme plus vibrant et plus mobilisateur. Ainsi, Michael Albert écrit :

> Le sentiment d'impuissance, si répandu, me semblait un obstacle central, et peut-être même le plus central, empêchant les gens de

donner de leur temps et de leur énergie au militantisme. Pour-quoi voudrait-on pousser des rochers vers le sommet des montagnes ? Pourquoi perdre son temps à souffler contre le vent ? S'il est impossible de vivre dans un monde meilleur que celui que nous sommes forcés d'endurer, pourquoi devrions-nous œuvrer pour un monde meilleur ? Et justement : si nous ne disposons pas d'une vision, nous demandons aux gens de conclure ce qui leur semblera un marché de dupes et de fait, le plus souvent, ils refuseront de le faire. C'est pourquoi, en plus de la motivation à lutter pour le changement social, nous devons donner orientation et direction au militantisme actuel. Élaborer des visions me semblait donc d'une importance cruciale. Mais c'était également – et incroyablement – quelque chose qu'à peu près personne n'accomplissait.

Les visions forment donc à leurs yeux d'indispensables outils pour la constitution du vaste et large mouvement qui réunirait la majorité de la population dans une aspiration à un nouvel ordre social, économique et politique. Nous pensons que la constitution de ce mouvement peut être donnée comme la plus grande ambition commune qui se dégage des textes ici réunis.

Mais il se peut aussi que des avenues pourtant prometteuses aient fait leurs preuves hier et aient ensuite été oubliées. C'est ce qui se dégage de certaines remarques d'Eliana Cielo. Nonobstant la rupture avec l'Église officielle que nous avons rappelée plus haut, Cielo lie explicitement son militantisme à sa foi, son action politique à la religion progressiste et au militantisme ouvrier chrétien (« un point de repère pour ne pas perdre l'esprit du service du peuple, ainsi que toutes ces valeurs chrétiennes dont je pense qu'il serait profitable pour la gauche de les assumer plus ») et en vient ensuite à parler de cette éducation populaire au sein de laquelle elle a œuvré. Elle déplore alors, on s'en souviendra, que cet aspect des luttes populaires soit négligé dans les pratiques militantes actuelles et qu'on ait trop largement oublié l'importance de cette contribution dans les luttes d'hier. Elle rappelle justement à ce propos que l'arrivée au pouvoir d'Allende s'est accompagnée d'un grand effort d'éducation populaire, qui comprenait, entre autres, des programmes d'éducation supérieure des travailleurs dispensés par des universités et contribuant à lier usine et université. Elle déplore, ici encore, l'oubli dans lequel ces expériences ont sombré.

Cet accent mis sur l'éducation permet de comprendre l'importance pour Eliana Cielo de la reconstruction de communautés de quartier pour lutter contre certains aspects de la culture dominante qui nous fait tendre à l'égoïsme et nous endort par divertissement.

> [...] dans la mesure où on est actuellement dans une culture égoïste, capitaliste, il faut être vraiment particulièrement vigilants. Pour les gens des milieux populaires, la vie de quartier est fondamentale. Profondément matérialiste, la culture dominante nous oppose les uns aux autres [...] on doit fonder une *autre* culture, qui n'est pas celle du capitalisme.

Cette ambition demande de penser dans la longue durée et pour cela, encore une fois, d'avoir une vision de l'avenir espéré. Ce thème est encore souligné par André Dudemaine : « Ce qui apparaît aujourd'hui impasse à notre myopie pourra être vu demain comme un défaut de perspective. L'humilité sied à l'analyse. Nos vies trop brèves, l'histoire les emporte et s'en nourrit et, dans son courant, nous naviguons à (courte) vue. »

André Dudemaine, comme bien d'autres, suggère que dans les débats et enjeux qui animeront la gauche au cours des prochaines années, une place prépondérante ne pourra manquer d'être faite aux problèmes et préoccupations écologiques. Mais il suggère en outre que la nouvelle sensibilité écologique qui se développe au sein de l'opinion converge avec les revendications innues et amérindiennes et que cette confluence peut susciter un « couloir de sympathie » (selon l'expression d'Arthur Lamothe) dont on se plaît à imaginer qu'il contribuera à rendre les luttes plus inclusives, ce que Dudemaine souhaite ardemment.

Sensible aux tenants et aboutissants du pluralisme de nos sociétés, Dudemaine appelle à la reformulation d'un projet collectif dans un cadre civil *national*, plutôt que dans un *sursaut* nationaliste et il rappelle ce que la vision amérindienne du monde peut apporter à la formulation d'un tel projet :

> [...] concevoir un cadre de vie à la fois respectueux des différences et porteur des idéaux universels d'égalité, de fraternité et de justice.

Ce retour aux sources, nécessaire pour les Premières Nations elles-mêmes qui ont perdu une partie de leur âme dans les vicissitudes des camps de concentration pour enfants (appelons donc une fois pour toutes les écoles résidentielles par leur nom véritable) et dans la mise en tutelle dont elles furent victimes, pourrait s'avérer un projet rassembleur et mobilisateur pour tous.

Pour sa part, et aussitôt après avoir, comme on s'en souviendra, posé que nous vivions un moment de « déliquescence » des partis traditionnels en tant que partis ouvriers, Louis Gill fait remarquer qu'un véritable mouvement de masse existe pourtant, bien vivant et fort actif dans des « mouvements pacifistes et altermondialistes, mouvements de défense de l'environnement, des droits des femmes, des assistés sociaux, des minorités ethniques, des handicapés, des homosexuels, de lutte contre le chômage, contre la pauvreté, pour l'accès au logement, etc ».

La canalisation de cette énergie, l'unification de ces forces lui semblent, à lui aussi, un des enjeux clés des luttes à venir. Il apporte cependant ici deux précisions qui doivent être soulignées. La première est que cette unification ne peut se réaliser sans qu'une place soit faite aux mouvements ouvriers et que soit assurée leur participation décisive. C'est contre l'oubli de la dimension économique des luttes (« le rapport social déterminant au sein de la société demeurant celui de l'activité de travail dont la composante principale est le salariat ») que nous pensons qu'il faut entendre cette importante injonction, qui rejoint certaines mises en garde faites par plusieurs autres auteurs, dont Albert.

Si la première précision apportée par Gill met en garde contre les dangers de l'oubli de l'importance sociale et politique de la dimension économique, sa deuxième pointe contre un possible et dangereux oubli du politique. Louis Gill diagnostique en fait, dans la vaste mouvance des luttes dont il souhaite l'unification, des formes d'antihiérarchisme et d'attachement à la démocratie de base dont il craint que, jointes à la méfiance envers les partis et les gouvernements, elles « tendent à les éloigner de l'idée même d'intervenir directement sur le terrain du pouvoir ». Ces mouvements devront pourtant, au bout du compte, « viser la conquête des pouvoirs publics ». Comment concilier cette visée de prise de pouvoir et l'antiautoritarisme, cette ambition politique et l'attachement à la démocratie de base ? De telles conciliations sont-elle possibles et souhaitables ? Que répondre à ceux et celles qui, comme Albert et Shalom sans doute, y verraient un risque que le mouvement soit « instrumentalisé » à son profit par la classe de ceux qu'Albert nomme « les coordonnateurs » ? Voilà des questions auxquelles devront répondre ceux qui préconisent la poursuite de l'action par des voies politiques au sens plus traditionnel du terme. C'est, on s'en souviendra, une voie choisie par Dimitri Roussopolos et Françoise David.

Pour Dimitri Roussopoulos, dont nous avons vu l'importance qu'il accorde à la révolution urbaine, le municipalisme libertaire de Murray Bookchin est une option prometteuse qui permet de concevoir une autre manière, plus large et plus profonde, de faire du politique.

Dans le Forum social mondial de Porto Alegre, justement tenu dans une ville ayant amorcé « la plus radicale démocratisation de la vie publique, grâce à la participation des citoyens » (entre autres par l'élaboration d'un budget participatif), il discerne le retour de valeurs qui furent celles de la Nouvelle gauche des années 1960 : la communauté, le voisinage et la ville. Du néoanarchisme de Murray Bookchin, Roussopoulos retient notamment qu'il faut envisager le politique comme un moyen nécessaire à la création de modèles libertaires. Le politique – et non la politique, est-on tenté de dire – signifie ici démocratie directe et autogestion de la communauté par les citoyens libres. Elle est « la dimension démocratique de l'anarchisme ».

> [Une dimension qui] cherche à créer ou à recréer un espace public fondé sur les débats, la coopération et la communauté. Ce type de politique s'est manifesté dans plusieurs périodes de l'histoire : dans les cités de la Grèce ancienne, dans les communes médiévales, dans les assemblées des villes de la Nouvelle-Angleterre, dans le Paris révolutionnaire de 1792, durant la Commune de la même ville, dans les soviets révolutionnaires en Russie, dans la révolution sociale espagnole en 1936-1939 et dans la révolution des Œillets au Portugal en 1974. Mais avec le développement de la mondialisation capitaliste, ces avancées révolutionnaires et démocratiques

ont été érodées, voire écrasées par les États-nations au service des élites corporatives.

Roussopoulos donne plusieurs exemples de réalisations (groupes de réflexion et organisations urbaines) où conduit la voie, à la fois radicale et concrète, du municipalisme libertaire, tant au Canada qu'à l'étranger :

> À Montréal, par exemple, des centaines de citoyens de tous les milieux de vie ont participé à trois sommets majeurs sur la culture de la ville organisés par des associations civiles et des mouvements sociaux. Le dernier sommet, auquel participaient des personnes provenant de la France, de la Grande-Bretagne, du Brésil et des villes canadiennes hors du Québec, portait entièrement sur la démocratie participative. Un quatrième sommet de citoyens s'est tenu en juin 2007. Depuis 2002, les débats et les actions préconisées lors des sommets ont eu un large impact sur des réformes utiles déjà introduites et celles qui sont prévues par le présent conseil municipal. Au printemps 2006, une conférence québécoise sur la démocratie municipale s'est tenue à Montréal avec une forte représentation de citoyens provenant de différentes villes de la province.

Quant à Françoise David, après avoir affirmé son attachement à la démocratie, elle insiste pour revendiquer une réflexion et une pratique plurielle qu'on est tenté de rapprocher de ce « holisme complémentaire » théorisé par Michael Albert et Robin Hahnel. Elle écrit :

> [J]'ai aujourd'hui l'impression d'avoir du monde une vision plus complète, plus globale et, me semble-t-il, moins morcelée, où se conjuguent justice sociale, féminisme, écologie et démocratie. Je n'ai pas la tentation de hiérarchiser ces valeurs et j'ai appris, de mon passage chez les marxistes-léninistes, la dure leçon du danger qu'il y a à chercher à le faire. J'aspire à lutter pour le commerce équitable, les changements structurels aux règles du commerce ; mais en même temps, je crois indispensable de combattre les dictatures théocratiques et la montée des droites conservatrices dans le monde.

Françoise David, nous semble-t-il, place ses espoirs dans des avancées qui nous conduisent dans trois directions. Des deux premières, l'écologie et le féminisme, elle dresse elle aussi un bilan positif et encourageant, dont on retiendra cette importante remarque que tous deux lui semblent avoir gagné le difficile pari de conjuguer harmonieusement le politique et le personnel.

La troisième voie que défend David, on le sait, est celle de la politique active et l'arrivée au pouvoir de Québec solidaire.

> Nous devons proposer des idées différentes, les défendre, convaincre, débattre. Ce que je veux, par contre, ce n'est pas seulement gagner des élections : j'aimerais aussi et surtout gagner les cœurs et les esprits à l'idée que l'injustice n'a aucun sens, que par exemple le taux de pauvreté au Québec est absolument inacceptable et intolérable.

Ces remarques donnent corps à une ambition de se rapprocher des gens que la gauche prétend vouloir aider. C'est ici qu'il faut méditer certaines observations de Rebick :

> Même s'il y a beaucoup de rhétorique sur le pouvoir du peuple, la réalité est que la plupart des gens de gauche croient qu'ils savent mieux que le peuple ce qui est bon pour lui. Que nous abordions la planification étatique ou le travail au sein de nos propres organisations, nous n'avons pas vraiment confiance dans le peuple que nous sommes supposés servir.

Abordant le thème de la violence, elle écrit :

> Je suis de plus en plus convaincue que si nous utilisons la domination et la violence pour apporter des changements, nous devenons semblables à ce que nous combattons. Aussi, pour réaliser les changements que nous préconisons, nous devons extirper la domination et la violence de notre vie et de la pratique de nos organisations.

*

* *

Émile Cioran assurait que le désespoir des personnes de gauche est de combattre au nom de principes qui leur interdisent le cynisme.

Nous pensons que la lecture des textes ici réunis autorise à affirmer que c'est aussi leur chance et que cela nourrit une espérance qui n'ambitionne à rien de moins que d'être celle de chacun de nous.

Questionnaire envoyé aux auteurs

Cher camarade,

Nous désirons rassembler dans un ouvrage les contributions d'une douzaine d'auteurs québécois, canadiens et états-uniens qui feraient le bilan du passé, une analyse du présent et une description de l'avenir souhaité, dans une perspective de « gauche ».

Voici le questionnaire auquel chacun est appelé à répondre.

1. Décrivez brièvement le parcours qui a conduit à votre politisation. Nommez, le cas échéant, des auteurs, des ouvrages, des événements, des expériences, des courants ou familles idéologiques qui ont particulièrement marqué votre cheminement. Finalement, décrivez les valeurs et les convictions qui ont contribué à définir votre prise de conscience politique.

2. Depuis quelques décennies, sur de nombreux plans, des bouleversements majeurs sont survenus dans le monde. En voici quelques-uns à propos desquels, le cas échéant, vous pouvez préciser l'impact qu'ils ont eu sur vos valeurs, vos convictions et vos analyses. Vous pouvez, si vous le souhaitez, ajouter des éléments à cette liste.

— La chute du Bloc de l'Est ;
— l'exercice du pouvoir par des partis socialistes ou sociaux-démocrates et ses effets sur les idéaux portés par eux ;
— la montée du néolibéralisme ;
— l'évolution du mouvement syndical ;
— le postcolonialisme, c'est-à-dire l'évolution des anciennes colonies devenues indépendantes ;
— le développement de l'hyperpuissance états-unienne ;
— la concentration de la presse et la convergence médiatique ;

– *le développement d'Internet ;*
– *l'avènement du féminisme ;*
– *l'avènement d'une conscience et d'un mouvement antiraciste ;*
– *le mouvement écologiste ;*
– *la montée des préoccupations identitaires ;*
– *l'altermondialisme.*

3. *En partant des valeurs et des convictions qui sont aujourd'hui les vôtres, dressez, sur l'un ou l'autre ou tous les plans suivants, un bilan des gains et des reculs du militantisme des dernières années en précisant, chaque fois, pourquoi vous arrivez à la conclusion que vous avancez :*
– *l'économie ;*
– *le politique ;*
– *les organisations militantes, leur fonctionnement interne et les liens qu'elles entretiennent entre elles ;*
– *la congruence (ou l'absence de congruence) entre vie quoti-dienne et valeurs politiques ;*
– *la question des genres sexuels ;*
– *la culture ;*
– *la question raciale.*

4. *Quels sont, idéalement, les changements que vous voudriez voir survenir au XXIe siècle ? Quels sont, selon vous, les moyens les plus susceptibles de faire advenir ces changements ? Contre quels dangers, quelles erreurs, les mouvements militants devraient-ils se prémunir s'ils espèrent contribuer à l'avènement des idéaux que vous préconisez ?*

Table

1   Normand Baillargeon et Jean-Marc Piotte.
    Introduction 7
2   Pierre Beaudet.
    Un parcours privilégié 11
3   Michael Albert.
    Pour une société participaliste 25
4   Judy Rebick.
    La convergence 49
5   Eliana Cielo.
    Une perspective latino-américaine de la révolution ... 69
6   André Dudemaine.
    L'espoir dans ma lanterne 89
7   Louis Gill.
    Pour le socialisme, aujourd'hui comme hier 101
8   Françoise David.
    Pas à pas, nous reconstruisons le monde 119
9   Dimitri Roussopoulos.
    La ville au cœur des politiques radicales 137
10 Stephen Shalom.
    Le nécessaire socialisme libertaire 155
11 Normand Baillargeon et Jean-Marc Piotte.
    Conclusion 177
12 Annexe.
    Questionnaire envoyé aux auteurs 213

CET OUVRAGE A ÉTÉ IMPRIMÉ EN JUILLET
2007 SUR LES PRESSES DES ATELIERS DE
L'IMPRIMERIE GAUVIN POUR LE COMPTE DE
LUX, ÉDITEUR À L'ENSEIGNE DU CHIEN D'OR

Il a été composé avec LATEX, logiciel libre,
par Claude RIOUX

La révision du texte et la correction des épreuves
ont été réalisées par Annie PRONOVOST et Monique MOISAN

Lux Éditeur
c.p. 129, succ. de Lorimier
Montréal, Qc H2H 1V0

Diffusion et distribution au Canada : Flammarion
Tél. : (514) 277-8807 - Fax : (514) 278-2085

Diffusion en France : CEDIF
Distribution : DNM / Diffusion du nouveau monde
Tél. : 01.43.54.49.02 - Téléc. : 01.43.54.39.15

Imprimé au Québec
sur papier recyclé 100 % post-consommation